PASIÓN POR LAS CUPCAKES

Lara Hernández

OBERON

Diseño de cubierta y maqueta
CELIA ANTÓN SANTOS

© Copyright de los textos: Lara Hernández

© Copyright de las fotografías: © Roberto Iván Cano

Ilustraciones de archivo: © 2003-2011 Shutterstock Images LLC.

Retrato Lara Hernández: © Fernando López (www.fernandofoto.com)

© EDICIONES ANAYA MULTIMEDIA (GRUPO ANAYA, S.A.), 2014
Juan Ignacio Luca de Tena, 15. 28027 Madrid
Depósito legal: M. 26952-2013
ISBN: 978-84-415-3467-4
Printed in Spain

"A mi familia, por estar siempre a mi lado
y ser un apoyo constante"

L.

contenido

Introducción

En los últimos años, las cupcakes se han convertido en uno de los dulces más demandados, y no es de extrañar, pues su gran versatilidad hace que sean perfectos para cualquier ocasión.

Aunque en Estados Unidos, cuna de estas mini-delicias, las cupcakes se llevan disfrutando desde hace más de una década, nosotros hemos tenido que esperar hasta hace poco para que desembarcaran en nuestro país. Pero su llegada ha sido por todo lo alto y cada vez es más común encontrar tiendas especializadas que se dedican en exclusiva a la venta de cupcakes o incluso a la venta de todo el material necesario para elaborarlas nosotros mismos.

Hacer cupcakes caseras es más sencillo de lo que parece. En las páginas que siguen, propongo una gran variedad de recetas para que vosotros también podáis hacer desde casa cupcakes dignas de las mejores *bakeries* americanas. Encontraréis para todos los gustos, desde los grandes clásicos hasta los sabores más innovadores, y es que, en el mundo de las cupcakes, nada es imposible. ¿Te animas a probar?

Antes de comenzar, conviene tener en cuenta ciertos consejos básicos de gran importancia aplicables a cualquiera de las recetas que encontrarás en este libro:

- Asegúrate de que la mantequilla y los huevos están siempre a temperatura ambiente. Acuérdate de sacarlos de la nevera un rato antes de comenzar con la receta. ¡No vale calentar la mantequilla en el microondas!

- Recuerda tamizar bien los ingredientes secos, tanto para la masa (harina, levadura, bicarbonato, cacao) como para el buttercream (azúcar glas).

- Una vez incorpores la harina a la masa, intenta batir lo mínimo posible, lo justo y necesario para que los ingredientes queden incorporados, pero no más. Así evitarás obtener una masa muy seca y densa tras el horneado.

- El horno debe usarse, preferiblemente, en la opción "arriba y abajo".

- Nunca abras el horno con las cupcakes dentro, especialmente durante los primeros 20 minutos de horneado. El cambio de temperatura afectará a éstas.

- Tras el horneado, deja las cupcakes 5 minutos en la propia bandeja y, acto seguido, sácalas y déjalas sobre una rejilla hasta que terminen de enfriar. Si las dejas en la bandeja mucho tiempo, el vapor hará que los papeles se despeguen.

- Ten paciencia con los buttercreams, bátelos al menos durante 5-8 minutos para obtener una textura muy cremosa y manejable.

- Deja que las cupcakes se enfríen por completo antes de cubrirlas con el buttercream; si no, éste se derretirá antes de que te des cuenta.

Anímate a meterte en la cocina y probar alguna de mis recetas. Siguiendo estos sencillos consejos, ¡el éxito está asegurado!

Los básicos

Al asomarnos por primera vez al mundo de la repostería creativa, más concretamente al de las cupcakes, es fácil sentirse abrumado por la amplia cantidad de utensilios, ingredientes y decoraciones que cada vez se encuentran con más facilidad en los comercios españoles. Sin embargo, son pocos los elementos completamente fundamentales para la elaboración de estos dulces.

Es importante diferenciar entre aquellos instrumentos necesarios para la preparación de las masas y buttercreams, y la multitud de opciones disponibles para personalizar y decorar nuestras creaciones.

A continuación, detallaré aquellos utensilios que a mi parecer resultan imprescindibles a la hora de adentrarse en esta área de la repostería y con los que podréis poner en práctica cualquiera de las recetas incluidas en este libro.

RECIPIENTES GRANDES: Si no contáis con un robot de cocina, la segunda mejor opción son las varillas eléctricas, que de poco nos servirán si no contamos con un buen recipiente donde preparar las masas y buttercreams. ¿El único requisito? Que sean grandes y nos permitan trabajar a gusto, sin miedo a que la masa se desborde en cualquier momento. En cuanto al material, yo prefiero los de cristal, pero también podemos usar de plástico o de acero.

PESO DE COCINA: Cuando se trata de repostería, el peso de cocina es uno de los grandes protagonistas. Es muy importante seguir al pie de la letra las cantidades indicadas en la receta de cualquier postre; por eso, recomiendo siempre usar una báscula digital. Hoy en día es fácil encontrarlas a buenos precios. La inversión merecerá la pena y nos ahorrará muchos quebraderos de cabeza.

TAMIZADOR: En todas las recetas de cupcakes se especifica que la harina y el resto de los ingredientes secos deben ser tamizados previamente, pero donde es todavía más importante es en la elaboración del buttercream, donde será imprescindible tamizar el azúcar glas, o nunca obtendremos un buttercream cremoso y ligero.

ESPÁTULA DE SILICONA: No hace falta tener una colección, con invertir en una buena y duradera nos sirve. Para mí, es un elemento fundamental, no sólo para incorporar a las masas los restos de ingredientes que se adhieren a las paredes de los recipientes, sino para añadir ingredientes que han de incorporarse de manera manual a las masas, como por ejemplo las zanahorias o cualquier fruta.

VARILLAS ELÉCTRICAS: Aunque es posible elaborar las masas de manera manual, con ayuda de una varilla clásica o una espátula, los buttercreams sólo se pueden hacer con robots de cocina o varillas eléctricas. Hoy en día es fácil encontrar este pequeño electrodoméstico a precios más que razonables. Os ahorrará muchas agujetas.

JARRA MEDIDORA: Al igual que es necesario contar con una báscula para medir los ingredientes secos, necesitaremos hacer lo propio con los líquidos.

BANDEJAS DE CUPCAKES: Aunque pueda parecer un elemento prescindible, es, por el contrario, instrumento fundamental. Ayudará a hornear las cupcakes homogéneamente, además de asegurarnos que mantendrán su forma. No os arriesguéis a colocar las cápsulas directamente sobre una bandeja de horno, el resultado no será el mismo.

Existen bandejas para hornear cupcakes mini, estándar o jumbo. Para mí, la más básica es la bandeja de 12 cupcakes estándar, aunque podéis adquirir la que más os guste.

CÁPSULAS DE PAPEL: Aunque hay quien hornea cupcakes vertiendo la masa directamente sobre la bandeja engrasada, las cupcakes clásicas siempre llevan cápsula de papel. Existen infinidad de marcas que comercializan este tipo de cápsulas y podréis encontrarlas en tamaño mini, estándar o jumbo. Lo más importante es asegurarse de usar unas que aguanten bien la grasa, así evitaremos que el papel se despegue de la cupcake tras el horneado o que pierda su color.

ESPÁTULA METÁLICA: Resulta fundamental para decorar las cupcakes sin manga pastelera. Lo mejor es hacerse con una de tamaño medio, no demasiado larga, para que nos sea más sencillo manejarla.

MANGAS PASTELERAS: Podemos encontrarlas de tela, aunque sin duda yo recomiendo las de plástico, desechables, que son comodísimas de usar y dan muy buenos resultados.

BOQUILLAS BÁSICAS: Existen cientos de boquillas, pero para decorar cupcakes sólo necesitaremos aquéllas que tengan una apertura amplia. Para mí, es fundamental contar con tres: la boquilla circular grande, la boquilla de estrella cerrada y la boquilla de estrella amplia. ¿Otro consejo? Mejor invertir en boquillas metálicas, dan mucho mejor resultado que las de plástico.

PALILLOS O PINCHO METÁLICO: Muy importante tenerlos a mano para poder comprobar si nuestras cupcakes se han horneado correctamente. Yo prefiero usar un pincho metálico de cocina, pero unos palillos servirán también.

REJILLAS: Muy importantes para apoyar las bandejas de las cupcakes tras el horneado y las propias cupcakes. Permiten que el aire circule alrededor de las cupcakes.

Como habréis comprobado, no son tantos los instrumentos necesarios para elaborar cupcakes. Seguro que vuestra cocina ya cuenta con la mayoría de ellos, y aquellos utensilios más específicos, como las bandejas de cupcakes o las cápsulas, no os serán difíciles de encontrar en grandes superficies o tiendas especializadas. Una vez adquiráis los elementos de esta lista, ¡ya estaréis perfectamente equipados para poneros manos a la obra!

Obsesión por las CUPCAKES

Si las cupcakes se han terminado convirtiendo en tu nueva obsesión, quizá sea el momento de ampliar tu material de trabajo, de manera que puedas poner en práctica creaciones cada vez más complejas y espectaculares.

Poco a poco, puedes ir adquiriendo todo lo imprescindible para decorar tus cupcakes y darles un aspecto de lo más profesional.

A continuación, detallo algunos de los utensilios y decoraciones que más uso en mi cocina y que me han ayudado a crear algunas de mis mejores cupcakes.

ROBOT DE COCINA: Sin duda, uno de los mejores robots de cocina para repostería es la KitchenAid. Por desgracia, el precio hace que sea poco asequible, pero si la repostería es tu pasión este robot será tu mejor inversión.

AZÚCARES DE COLORES: Es importante contar con un repertorio amplio de azúcares de colores. A la hora de decorar tus cupcakes te serán de lo más útiles. Invierte en buenas marcas y asegúrate de que no destiñen.

BOLITAS DECORATIVAS: Al igual que el azúcar de colores, conviene tener a mano bolitas de colores y tamaños diferentes. No sólo te servirán para decorar cupcakes sino que podrás utilizarlas como ojos u otras muchas cosas en cualquiera de tus creaciones.

MOLDES DE SILICONA: Los pequeños moldes de silicona para hacer decoraciones en fondant son de las cosas más útiles que tengo. A lo largo de los años, he ido ampliando mi colección y he de decir que en más de una ocasión me han salvado a última hora, ya que con ellos podrás hacer decoraciones de manera rápida. ¡Perfectos para cuando tengas que preparar docenas de cupcakes decoradas!

RODILLO DE FONDANT: Otra herramienta muy útil si lo que te gusta es decorar con fondant. Asegúrate de hacerte con uno que tenga niveladores, así obtendrás siempre un grosor homogéneo en tu fondant.

TAPETE: El trabajo con fondant puede resultar agotador, especialmente cuando no para de pegarse a cualquier superficie, retrasándote en tu trabajo. Un buen tapete puede solucionar todos tus problemas. ¿Mi recomendación? Invierte en uno de silicona.

CÚTER: Otra herramienta fundamental a la hora de trabajar el fondant. Compra uno especial para repostería. Se convertirá en tu fiel compañero.

BOQUILLAS ESPECIALES: Además de las boquillas básicas, encontrarás que a menudo usas otras, como la de césped, las de hojas o las de pétalos. ¡Atrévete a probar cosas nuevas!

KIT MODELADO PARA FONDANT: Invierte en un kit de herramientas bueno, te durará toda la vida y le darás uso continuo.

TERMÓMETRO: Nunca está de más tener un termómetro culinario cerca, especialmente si te apasiona hacer caramelo o merengue suizo.

PINZAS: Imprescindibles tenerlas a mano. Te ayudarán a la hora de rectificar decoraciones sin estropear el buttercream, etc.

PINCELES: Muy útiles si quieres pegar capas de fondant.

ROTULADORES DE TINTA COMESTIBLE: Conviene tener un set con al menos los colores básicos. ¡El negro es imprescindible!

PURPURINAS COMESTIBLES: Para dar un toque glamuroso a tus cupcakes más refinadas. Hazte con un par de cajitas. ¿Mi favorita? Sin duda, la dorada.

COLORANTES EN GEL: Nunca se tienen demasiados colorantes. Cómpralos de marcas buenas, siempre en gel, que sirven para todo, y ve ampliando tu colección poco a poco. ¡Son un vicio!

Los clásicos

Cupcakes de vainilla

Para los amantes de los grandes clásicos, ésta es la cupcake perfecta.
Si buscas una receta ligera y un intenso sabor a vainilla, no te defraudará

Ingredientes masa

- 170 gr de harina.
- 1/2 cucharadita de postre de levadura.
- Una pizca de sal.
- 115 g de mantequilla sin sal.
- 220 g de azúcar.
- 2 huevos grandes.
- 125 ml de leche.
- 1 cucharadita de postre de vainilla en pasta.

Ingredientes buttercream

- 170 g de mantequilla sin sal.
- 220 g de azúcar glas.
- 1 cucharadita de postre de vainilla en pasta.

Elaboración

Precalentamos el horno a 175 ºC y preparamos una bandeja de cupcakes con 12 cápsulas de papel.

Comenzamos añadiendo la levadura y la sal a la harina. Tamizamos y reservamos. Batimos la mantequilla junto con el azúcar durante cinco minutos. Añadimos los huevos, de uno en uno, y batiendo bien tras cada incorporación. Añadimos también el extracto de vainilla. Por último, incorporamos la harina y la leche en tres partes, intercalando ambos ingredientes. Repartimos la masa entre las cápsulas de papel y horneamos 25 minutos, o hasta que un palillo insertado en el centro de la cupcake salga limpio, sin restos de masa.

Para preparar el buttercream, batimos durante 5 minutos la mantequilla y la vainilla junto con el azúcar glas, previamente tamizado. Cuando las cupcakes hayan enfriado podremos cubrirlas con el buttercream.

Cupcakes de chocolate y vainilla

La preferida de mayores y niños, otro clásico americano que nunca falla. El intenso sabor a chocolate del bizcocho y la ligereza del buttercream de vainilla forman un tándem perfecto.

Ingredientes masa

- 125 g de harina.
- 60 g de cacao puro en polvo.
- 1/2 cucharadita de postre de bicarbonato.
- 1/2 cucharadita de postre de levadura.
- 115 g de mantequilla sin sal.
- 220 g de azúcar.
- 2 huevos.
- 185 ml de leche.
- 2 cucharaditas de postre de vinagre blanco o de manzana.

Ingredientes buttercream

- 170 g de mantequilla sin sal.
- 220 g de azúcar glas.
- 1 cucharadita de postre de vainilla en pasta.

Elaboración

Empezamos precalentando el horno a 175 ºC y preparando la bandeja de cupcakes con sus correspondientes cápsulas.

En un recipiente grande tamizamos la harina, el cacao, la levadura y el bicarbonato. Reservamos.

Añadimos a la leche el vinagre blanco y reservamos.

Batimos durante 5 minutos el azúcar junto con la mantequilla. A continuación, añadimos los huevos, de uno en uno, y continuamos batiendo.

Añadimos la mezcla de la leche y batimos unos segundos a velocidad baja. Por último, incorporamos la mezcla de la harina y el cacao y batimos hasta obtener una masa homogénea. Repartimos la masa entre las cápsulas de papel y horneamos durante unos 25 minutos, o hasta que un palillo insertado en el centro de una de las cupcakes salga limpio.

Para preparar el buttercream, batimos durante 5 minutos la mantequilla junto con el azúcar glas tamizado y la vainilla. Cuando las cupcakes estén frías podremos decorarlas con el buttercream.

Cupcakes de limón

Una de las cupcakes más refrescantes, perfecta para la merienda o de broche final después de una comida abundante. El toque ácido del limón la convertirá en una de tus favoritas.

Ingredientes masa

- 185 g de harina.
- 1 cucharadita de postre de levadura.
- Un pellizco de sal.
- 115 g de mantequilla sin sal.
- 220 g de azúcar.
- 2 huevos grandes.
- La ralladura de 1 limón y medio.
- 1 cucharada sopera de zumo de limón recién exprimido.
- 125 ml de leche.

Ingredientes buttercream

- 57 g de mantequilla sin sal.
- 190 g de azúcar glas.
- 1 cucharada de zumo de limón.

Elaboración

Precalentamos el horno a 165 °C y preparamos una bandeja de cupcakes con 12 cápsulas de papel.

Tamizamos la harina junto con la levadura y la sal. Reservamos. Batimos la mantequilla junto con el azúcar durante 5 minutos. Añadimos los huevos, de uno en uno, y batimos unos segundos más. Incorporamos la ralladura y el zumo de limón.

Por último, añadimos la harina en tres partes, alternando con la leche. Repartimos la masa entre las cápsulas y horneamos durante 25 minutos.

Para preparar el buttercream, batimos durante 5 minutos la mantequilla junto con el azúcar glas tamizado. Añadimos el zumo y, si lo deseamos, colorante en gel amarillo. Continuamos batiendo. Una vez las cupcakes se hayan enfriado, podremos cubrirlas con el buttercream.

Cupcakes Red Velvet

La versión cupcake del postre sureño por excelencia. Una combinación de sabores que no dejará indiferente a nadie. ¿Lo mejor? El intenso color del bizcocho y la textura aterciopelada que da nombre a este clásico.

Ingredientes masa

- 60 g de mantequilla sin sal.
- 160 g de azúcar.
- 1 huevo grande.
- 1 1/2 cucharadas soperas de cacao puro en polvo.
- Colorante rojo en gel.
- 120 ml de leche.
- 1/2 cucharada sopera de vinagre blanco o de manzana.
- 150 g de harina.
- 1/2 cucharadita de postre de bicarbonato.
- 1 1/2 cucharaditas de postre de vinagre blanco.

Ingredientes buttercream

- 450 g de azúcar glas.
- 75 g de mantequilla sin sal.
- 190 g de crema de queso.

Elaboración

Calentamos el horno a 170 °C. Comenzamos batiendo la mantequilla junto con el azúcar. Añadimos el huevo y batimos unos segundos más. Incorporamos el cacao y el colorante necesario para adquirir un rojo intenso. Batimos. Mezclamos la leche junto con la 1/2 cucharada sopera de vinagre, y añadimos a la masa, alternando con la harina.

Por último, incorporamos el bicarbonato y el vinagre sobrante. Batimos durante unos segundos y, a continuación, repartimos la masa entre 12 cápsulas de papel. Horneamos 25 minutos.

Para hacer el buttercream, batimos el azúcar tamizado junto con la mantequilla. Añadimos el queso y batimos otros 5 minutos.

Cupcakes de zanahoria

Los aficionados a este pastel caerán rendidos al probar esta versión reducida.
El bizcocho, elaborado con aceite, sorprenderá por su jugosidad. ¡Imposible resistirse!

Ingredientes masa

- 220 g de zanahoria, pelada y triturada.
- 2 huevos grandes.
- 140 g de azúcar.
- 120 ml de aceite.
- 120 g de harina.
- 1 cucharadita de postre de bicarbonato.
- Un pellizco de sal.
- 1 cucharadita de postre de canela.

Ingredientes buttercream

- 450 g de azúcar glas.
- 75 g de mantequilla sin sal.
- 190 g de crema de queso.

Elaboración

Precalentamos el horno a 180 ºC. Preparamos una bandeja de cupcakes con 12 cápsulas de papel. En un recipiente tamizamos la harina junto con el bicarbonato, la sal y la canela, y reservamos.

Batimos el azúcar junto con los huevos durante 5 minutos. Añadimos el aceite y batimos. Incorporamos la mezcla de harina y batimos de nuevo hasta que los ingredientes queden incorporados. Por último, añadimos la zanahoria triturada y la incorporamos a la masa con ayuda de una espátula. Repartimos la masa entre las cápsulas y horneamos durante 25 minutos.

Para elaborar el buttercream, batimos el azúcar tamizado junto con la mantequilla. Añadimos el queso frío y batimos otros 5 minutos. Decoramos las cupcakes.

Cupcakes de calabaza

En Halloween es la protagonista indiscutible, pero ¿por qué no disfrutarla el resto del año? Una receta muy original que hará las delicias de todos.

Ingredientes masa

- 170 g de harina.
- 1 1/4 cucharadita de postre de levadura.
- Un pellizco de sal.
- 1/2 cucharadita de postre de canela.
- 1/2 cucharadita de postre de nuez moscada.
- 75 g de mantequilla.
- 200 g de azúcar moreno.
- 1 huevo grande.
- 100 ml de leche.
- 140 g de puré de calabaza (hervir calabaza, escurrir y triturar con ayuda de un tenedor. Pesar 140 g).

Ingredientes buttercream

- 450 g de azúcar glas.
- 75 g de mantequilla sin sal.
- 190 g de crema de queso.
- 1/2 cucharadita de postre de canela.

Elaboración

Precalentamos el horno a 175 ºC. En un recipiente grande tamizamos la harina, la levadura, la sal, la canela y la nuez moscada. Reservamos. Batimos la mantequilla junto con el azúcar moreno a máxima velocidad. Añadimos el huevo y continuamos batiendo. A continuación, incorporamos la leche, batimos unos segundos, y añadimos también la mezcla de la harina. Mezclamos hasta que todos los ingredientes queden incorporados. Por último, añadimos el puré de calabaza. Repartimos la masa entre 12 cápsulas de papel y horneamos durante 25 minutos o hasta que un palillo insertado en el centro de la cupcake salga limpio, sin restos de masa.

Para hacer el buttercream, batimos el azúcar tamizado junto con la mantequilla. Añadimos el queso y la canela y batimos otros 5 minutos.

Cupcakes de crema de cacahuete

La crema de cacahuete es otro de los ingredientes estrella de la repostería americana. Si os gustan las combinaciones dulces-saladas, ésta es vuestra cupcake. ¡Seguro que repetís!

Ingredientes masa

- 220 g de harina.
- 1 1/2 cucharaditas de levadura.
- 1/2 cucharadita de sal.
- 1/2 cucharadita de bicarbonato.
- 170 g de mantequilla.
- 165 g de mantequilla de cacahuete.
- 265 g de azúcar.
- 3 huevos.
- 1 yogurt natural.

Ingredientes buttercream

- 150 g de queso crema.
- 58 g de mantequilla.
- 250 g de azúcar glas.
- 100 g de mantequilla de cacahuete.

Elaboración

Precalentamos el horno a 175 ºC y preparamos una bandeja de cupcakes con sus correspondientes cápsulas de papel.

Tamizamos la harina junto con la levadura, la sal y el bicarbonato. Reservamos.

Batimos la mantequilla junto con la mantequilla de cacahuete y el azúcar, durante unos 5 minutos. A continuación, añadimos los huevos, de uno en uno. Por último, incorporamos la mezcla de la harina, en tres partes, y alternando con el yogurt.

Repartimos la masa entre las cápsulas y horneamos unos 25 minutos.

Para preparar el buttercream, batimos el azúcar glas junto con la mantequilla y la mantequilla de cacahuete. Por último, incorporamos el queso crema y batimos durante 5 minutos, hasta obtener una mezcla cremosa.

Choc-Obsesión

Cupcakes de café

Los aficionados al café caerán rendidos al probar estas deliciosas cupcakes de chocolate con un ligero toque de café. Una auténtica delicia perfecta para cualquier ocasión.

Ingredientes masa

- 125 g de harina.
- 60 g de cacao puro en polvo.
- 1 cucharadita de postre de café soluble.
- 1/2 cucharadita de postre de bicarbonato.
- 1/2 cucharadita de postre de levadura.
- 115 g de mantequilla sin sal.
- 220 g de azúcar.
- 2 huevos.
- 185 ml de leche.
- 2 cucharaditas de postre de vinagre blanco o de manzana.

Ingredientes buttercream

- 170 g de mantequilla sin sal.
- 170 g de azúcar glas.
- 1 cucharadita de café soluble.
- 100 g de chocolate negro.

Elaboración

Empezamos precalentando el horno a 175 ºC.

En un recipiente, tamizamos la harina junto con el cacao, el café soluble, la levadura y el bicarbonato.

Batimos durante 5 minutos el azúcar junto con la mantequilla y añadimos los huevos, de uno en uno, y sin dejar de batir.

Añadimos la leche, previamente mezclada con el vinagre, a la masa. Batimos unos segundos a velocidad baja. Por último, incorporamos la mezcla de la harina y el cacao y batimos hasta obtener una masa homogénea. Repartimos la masa entre las cápsulas de papel y horneamos durante 25 minutos.

Para preparar el buttercream, batimos durante 5 minutos la mantequilla junto con el azúcar glas tamizado. Añadimos el café. Por último, incorporamos el chocolate, derretido y templado. Batimos hasta obtener una textura cremosa.

Cupcakes de crema de avellanas

Si quieres ganarte a los más pequeños, esta cupcake es lo que estabas buscando. Con el característico sabor a la crema de avellanas y chocolate, desaparecerán en un abrir y cerrar de ojos.

Ingredientes masa

- 125 g de harina.
- 60 g de cacao puro en polvo.
- 1/2 cucharadita de postre de bicarbonato.
- 1/2 cucharadita de postre de levadura.
- 115 g de mantequilla sin sal.
- 1 cucharada sopera de crema de chocolate y avellanas.
- 220 g de azúcar.
- 2 huevos.
- 185 ml de leche.

Ingredientes buttercream

- 250 g de azúcar glas.
- 80 g de mantequilla sin sal.
- 100 g de crema de chocolate y avellanas.
- Un chorrito de leche.

Elaboración

Precalentamos el horno a 175 °C y preparamos la bandeja de cupcakes con 12 cápsulas de papel.

En un recipiente tamizamos la harina, el cacao, la levadura y el bicarbonato. Reservamos.

Batimos durante 5 minutos el azúcar junto con la mantequilla. Añadimos los huevos de uno en uno y continuamos batiendo.

Añadimos la leche y batimos unos segundos más. Incorporamos la mezcla de la harina y el cacao, y batimos hasta obtener una masa homogénea. Por último, añadimos la crema de avellanas y chocolate. Repartimos la masa entre las cápsulas de papel y horneamos durante unos 25 minutos.

Para preparar el buttercream, batimos durante 5 minutos la mantequilla junto con el azúcar glas tamizado. Añadimos la crema de chocolate y avellanas, y, si lo deseamos, podemos añadir un chorrito de leche para aligerar la crema.

Cupcakes de cappuccino

Un mordisco a esta cupcake y te parecerá estar en una agradable cafetería saboreando un buen cappuccino en una tarde de invierno. ¿Se puede pedir más?

Ingredientes masa

- 125 g de harina.
- 60 g de cacao puro en polvo.
- 1 cucharadita de canela.
- 1/2 cucharadita de postre de bicarbonato.
- 1/2 cucharadita de postre de levadura.
- 115 g de mantequilla sin sal.
- 220 g de azúcar.
- 2 huevos.
- 130 ml de leche.
- 50 ml de *espresso*.

Ingredientes buttercream

- 170 g de mantequilla sin sal.
- 220 g de azúcar glas.
- 1 cucharadita de postre de vainilla en pasta.

Elaboración

Precalentamos el horno a 175 ºC.

En un recipiente amplio tamizamos la harina, el cacao, la canela, la levadura y el bicarbonato. Reservamos la mezcla.

Batimos durante 5 minutos el azúcar y la mantequilla. Añadimos los huevos, de uno en uno, y continuamos batiendo.

Incorporamos la leche y el café a la masa. Batimos unos segundos a velocidad baja y, por último, añadimos la mezcla de la harina y el cacao, batiendo hasta obtener una masa homogénea. Repartimos la masa entre las cápsulas y horneamos durante 25 minutos.

Para preparar el buttercream, batimos durante 5 minutos la mantequilla junto con el azúcar glas, previamente tamizado. Añadimos la vainilla en pasta. Si lo deseamos, podemos aligerar la crema incorporando un par de cucharadas de leche.

Cupcakes de doble chocolate

Los amantes del chocolate no podrán resistirse.
Doble ración para satisfacer los paladares más exigentes.

Ingredientes masa

- 125 g de harina.
- 60 g de cacao puro en polvo.
- 1/2 cucharadita de postre de bicarbonato.
- 1/2 cucharadita de postre de levadura.
- 115 g de mantequilla sin sal.
- 220 g de azúcar.
- 2 huevos.
- 185 ml de leche.
- 2 cucharaditas de postre de vinagre blanco o de manzana.

Ingredientes buttercream

- 300 g de azúcar glas.
- 2 1/2 cucharadas soperas de cacao puro en polvo.
- 100 g de mantequilla sin sal.
- Leche.

Elaboración

Empezamos precalentando el horno a 175 ºC.

En un recipiente grande tamizamos la harina, el cacao, la levadura y el bicarbonato. Reservamos.

Batimos durante 5 minutos el azúcar junto con la mantequilla. A continuación, añadimos los huevos de uno en uno y continuamos batiendo.

Añadimos a la leche el vinagre blanco e incorporamos a la masa. Batimos unos segundos a velocidad baja. Por último, incorporamos la mezcla de la harina y el cacao y batimos hasta obtener una masa homogénea. Repartimos la masa entre las cápsulas de papel y horneamos durante 25 minutos.

Para preparar el buttercream, batimos durante 5 minutos la mantequilla junto con el azúcar glas tamizado. Añadimos el cacao. Si lo deseamos, podemos aligerar la crema incorporando un par de cucharadas de leche.

Cupcakes bicolor

¿Vainilla o chocolate? Un eterno dilema que dejará de ser un problema con esta receta.
¿Por qué elegir cuando puedes saborear ambos en un solo dulce?

Ingredientes masa

- 170 g de harina.
- 1/2 cucharadita de postre de levadura.
- Una pizca de sal.
- 115 g de mantequilla sin sal.
- 220 g de azúcar.
- 2 huevos grandes.
- 125 ml de leche.
- 1 cucharadita de postre de vainilla en pasta.

Ingredientes buttercream

- 170 g de mantequilla sin sal.
- 220 g de azúcar glas.
- 1 cucharadita de postre de vainilla en pasta.
- 2 cucharadas soperas de cacao en polvo.

Elaboración

Precalentamos el horno a 175 ºC y preparamos la bandeja de cupcakes con sus correspondientes cápsulas.

Mezclamos la harina, la levadura y la sal. Tamizamos y reservamos. Batimos la mantequilla junto con el azúcar durante 5 minutos y añadimos los huevos, de uno en uno. Añadimos también el extracto de vainilla. Por último, incorporamos la harina y la leche en tres partes, intercalando ambos ingredientes. Repartimos la masa entre las cápsulas de papel y horneamos 25 minutos.

Para preparar el buttercream, batimos durante 5 minutos la mantequilla y la vainilla, junto con el azúcar glas, previamente tamizado. Dividimos el buttercream en dos mitades y añadimos el cacao en polvo a una de las partes. Decoramos las cupcakes usando ambos buttercreams.

Cupcakes de chocolate y fresa

Cualquier dulce en el que se combine chocolate y fresas está destinado a ser éxito asegurado y la receta de esta cupcake no podía ser menos. ¿Un truco? Podéis sustituir la fresa en pasta por vuestro propio puré de fresas frescas, que conseguiréis triturando la fruta y reduciendo al fuego el jugo obtenido.

Ingredientes masa

- 125 g de harina.
- 60 g de cacao puro en polvo.
- 1/2 cucharadita de postre de bicarbonato.
- 1/2 cucharadita de postre de levadura.
- 115 g de mantequilla sin sal.
- 220 g de azúcar.
- 30 g de chips de chocolate.
- 2 huevos.
- 185 ml de leche.
- 2 cucharaditas de postre de vinagre blanco o de manzana.

Ingredientes buttercream

- 450 g de azúcar glas.
- 75 g de mantequilla sin sal.
- 190 g de crema de queso.
- 2 cucharadas (o al gusto) de fresa en pasta.

Elaboración

Precalentamos el horno a 175 ºC y preparamos la bandeja de cupcakes.

En un recipiente grande tamizamos la harina, el cacao, la levadura y el bicarbonato. Reservamos.

Batimos el azúcar junto con la mantequilla durante unos 5 minutos, hasta obtener una mezcla blanquecina. A continuación, añadimos los huevos y continuamos batiendo.

Mezclamos la leche y el vinagre blanco e incorporamos a la masa. Incorporamos la mezcla de la harina y el cacao y batimos hasta obtener una masa homogénea. Por último, añadimos los chips de chocolate e incorporamos con ayuda de una espátula. Repartimos la masa entre las cápsulas de papel y horneamos durante 25 minutos.

Para elaborar el buttercream, batimos el azúcar junto con la mantequilla. Añadimos la crema de queso y continuamos batiendo. Por último, incorporamos la fresa en pasta y batimos durante unos segundos más.

Cupcakes de vainilla y chocolate

Si lo que te gustan son los sabores de toda la vida, no hay combinación más clásica que la de vainilla y chocolate. ¡Imposible fallar con esta receta!

Ingredientes masa

- 170 g de harina.
- 1/2 cucharadita de postre de levadura.
- Una pizca de sal.
- 115 g de mantequilla sin sal.
- 220 g de azúcar.
- 2 huevos grandes.
- 125 ml de leche.
- 1 cucharadita de postre de vainilla en pasta.

Ingredientes buttercream

- 170 g de mantequilla sin sal.
- 170 g de azúcar glas.
- 100 g de chocolate con leche.

Elaboración

Precalentamos el horno a 175 ºC y preparamos una bandeja de cupcakes con sus correspondientes cápsulas.

Mezclamos la levadura, la sal y la harina. Tamizamos y reservamos. Batimos la mantequilla y el azúcar durante 5 minutos. Añadimos los huevos y batimos. Añadimos también el extracto de vainilla. Por último, incorporamos la harina y la leche en tres partes, intercalando ambos ingredientes. Repartimos la masa entre las cápsulas y horneamos 25 minutos.

Para preparar el buttercream, derretimos el chocolate y dejamos enfriar. Batimos la mantequilla y el azúcar glas, previamente tamizado. Por último, incorporamos el chocolate derretido y batimos durante 6 minutos.

Cupcakes
de chocolate y coco

Estas deliciosas cupcakes, con un bizcocho extremadamente tierno y un delicioso sabor a coco, se convertirán en la estrella de cualquier celebración.

Ingredientes masa

- 125 g de harina.
- 60 g de cacao puro en polvo.
- 1/2 cucharadita de postre de bicarbonato.
- 1/2 cucharadita de postre de levadura.
- 115 g de mantequilla sin sal.
- 220 g de azúcar.
- 2 huevos.
- 185 ml de leche de coco.

Ingredientes buttercream

- 170 g de mantequilla sin sal.
- 220 g de azúcar glas.
- Coco rallado.

Elaboración

Antes de empezar, precalentamos el horno a 175 ºC y preparamos la bandeja de cupcakes con sus cápsulas de papel.

En un recipiente grande tamizamos la harina, el cacao, la levadura y el bicarbonato. Reservamos.

Batimos durante 5 minutos el azúcar junto con la mantequilla. Añadimos los huevos de uno en uno y continuamos batiendo.

Incorporamos la leche de coco y batimos unos segundos a velocidad baja. Por último, incorporamos la mezcla de la harina y el cacao y batimos hasta obtener una masa homogénea. Repartimos la masa entre las cápsulas de papel y horneamos durante unos 25 minutos.

Para preparar el buttercream, batimos durante 5 minutos la mantequilla junto con el azúcar glas tamizado. Cuando las cupcakes estén frías podremos decorarlas con el buttercream y cubrirlas con el coco rallado.

Cupcakes
de chocolate y menta

Chocolate y menta. Otra clásica combinación a la que es difícil resistirse. El frescor que aporta el toque de menta hace que esta cupcake sea perfecta como punto final a cualquier comida.

Ingredientes masa

- 125 g de harina.
- 60 g de cacao puro en polvo.
- 1/2 cucharadita de postre de bicarbonato.
- 1/2 cucharadita de postre de levadura.
- 115 g de mantequilla sin sal.
- 220 g de azúcar.
- 30 g de chips de chocolate.
- 2 huevos.
- 185 ml de leche.
- 2 cucharaditas de postre de vinagre blanco o de manzana.

Ingredientes buttercream

- 170 g de mantequilla.
- 1 cucharadita de extracto de menta.
- 280 g de azúcar glas.
- 1 cucharada de nata líquida.

Elaboración

En un recipiente tamizamos la harina junto con el cacao, la levadura y el bicarbonato. Reservamos.

Batimos el azúcar y la mantequilla durante 5 minutos, hasta obtener una mezcla blanquecina. Añadimos los huevos, de uno en uno, y continuamos batiendo.

Mezclamos la leche y el vinagre blanco e incorporamos a la masa. Añadimos la mezcla de la harina y el cacao. Por último, añadimos los chips de chocolate e incorporamos con ayuda de una espátula. Repartimos la masa entre las cápsulas de papel y horneamos durante 25 minutos a 175 ºC.

Para elaborar el buttercream, batimos el azúcar junto con la mantequilla. Añadimos el extracto de menta y la nata. Una vez hayan enfriado las cupcakes, decoramos.

Cupcakes de plátano y chocolate

Ésta es otra de esas combinaciones de sabores que nunca falla. El chocolate y el plátano forman una unión perfecta y prueba de ello son estas deliciosas cupcakes. ¿Te animas a probarlas?

Ingredientes masa

- 170 g de harina.
- 1/2 cucharadita de postre de levadura.
- Una pizca de sal.
- 115 g de mantequilla sin sal.
- 220 g de azúcar.
- 2 huevos grandes.
- 125 ml de leche.
- 2 plátanos blandos.

Ingredientes buttercream

- 170 g de mantequilla sin sal.
- 170 g de azúcar glas.
- 170 g de chocolate negro.
- 1 cucharadita de extracto de vainilla.

Elaboración

Comenzamos añadiendo la levadura y la sal a la harina. Batimos la mantequilla junto con el azúcar durante 5 minutos, hasta obtener una mezcla blanquecina. Añadimos los huevos y batimos tras cada incorporación. Añadimos la harina y la leche en tres partes, intercalando ambos ingredientes. Por último, añadimos los plátanos, previamente machacados. Repartimos la masa entre las cápsulas de papel y horneamos 25 minutos a 175 ºC.

Para preparar el buttercream, batimos durante 5 minutos la mantequilla y la vainilla junto con el azúcar glas, previamente tamizado. Añadimos el chocolate, previamente derretido y enfriado.

Cupcakes Lava

*Una deliciosa cupcake de chocolate con una sorpresa interior
de chocolate fundido. Irresistible para los amantes del chocolate.*

Ingredientes masa

- 175 g de chocolate.
- 125 ml de nata.
- Unas cucharadas de cacao en polvo.
- 125 g de harina.
- 60 g de cacao puro en polvo.
- 1/2 cucharadita de postre de bicarbonato.
- 1/2 cucharadita de postre de levadura.
- 115 g de mantequilla sin sal.
- 220 g de azúcar.
- 2 huevos.
- 185 ml de leche.
- 2 cucharaditas de postre de vinagre blanco
  o de manzana.

Ingredientes buttercream

- 300 g de azúcar glas.
- 2 1/2 cucharadas soperas de cacao puro
  en polvo.
- 100 g de mantequilla sin sal.
- Leche.

Elaboración

Derretimos el chocolate junto con la nata. Refrigeramos hasta obtener una mezcla fácil de manejar, con la que haremos bolitas del tamaño de una trufa. Cubrimos con el cacao en polvo y refrigeramos hasta el momento de usarlas.

Tamizamos la harina, el cacao, la levadura y el bicarbonato. Reservamos.

Batimos durante 5 minutos el azúcar junto con la mantequilla. Añadimos los huevos y continuamos batiendo. Mezclamos la leche con el vinagre e incorporamos. Añadimos la mezcla de la harina y el cacao y batimos hasta obtener una masa homogénea. Colocamos una cucharada y media de masa en cada cápsula de papel. A continuación, ponemos una "trufa" en cada cupcake y cubrimos con más masa. Horneamos durante 25 minutos a 175 ºC.

Para preparar el buttercream, batimos durante 5 minutos la mantequilla junto con el azúcar glas tamizado. Añadimos el cacao. Si lo deseamos, podemos aligerar la crema incorporando un par de cucharadas de leche.

Cupcakes Mars Attack

Si te gustan las sorpresas, no tardes en probar esta cupcake,
que esconde en su interior un corazón de delicioso caramelo casero.

Ingredientes masa

- 200 g de azúcar.
- 85 g de mantequilla.
- 125 ml de nata para postres.
- 125 g de harina.
- 60 g de cacao puro en polvo.
- 1/2 cucharadita de postre de bicarbonato.
- 1/2 cucharadita de postre de levadura.
- 115 g de mantequilla sin sal.
- 220 g de azúcar.
- 2 huevos.
- 185 ml de leche.
- 2 cucharaditas de postre de vinagre blanco
  o de manzana.

Ingredientes buttercream

- 170 g de mantequilla sin sal.
- 170 g de azúcar glas.
- 170 g de chocolate negro.
- Sirope de caramelo.
- 1 cucharadita de extracto de vainilla.

Elaboración

Para hacer el caramelo derretimos en una olla profunda 200 g de azúcar. Cuando ésta comience a tornar ámbar, añadimos 85 g de mantequilla y la nata. Mezclamos bien y dejamos espesar. Retiramos del fuego y reservamos.

Precalentamos el horno a 175 ºC. Mezclamos y tamizamos la harina junto con el cacao, el bicarbonato y la levadura. Reservamos. Batimos la mantequilla y el azúcar y añadimos los huevos. Mezclamos la leche junto con el vinagre y añadimos a la masa. Incorporamos también la mezcla de la harina. Repartimos la masa entre las cápsula y horneamos 25 minutos. Cuando las cupcakes hayan enfriado, hacemos un agujero en el centro con ayuda de un descorazonador y rellenamos con el caramelo casero.

Para preparar el buttercream, batimos durante 5 minutos la mantequilla y la vainilla junto con el azúcar glas, previamente tamizado. Añadimos el chocolate, previamente derretido y enfriado. Terminamos de decorar con el sirope de caramelo.

Cupcakes selva negra

Se trata de la versión cupcake de este dulce tan clásico conocido en el mundo entero. ¡Resulta difícil resistirse!

Ingredientes masa

- 125 g de harina.
- 60 g de cacao puro en polvo.
- 1/2 cucharadita de postre de bicarbonato.
- 1/2 cucharadita de postre de levadura.
- 115 g de mantequilla sin sal.
- 220 g de azúcar.
- 2 huevos.
- 185 ml de leche.

Ingredientes cobertura

- 250 ml de nata líquida para postres.
- Azúcar al gusto.
- Cerezas.

Elaboración

Empezamos precalentando el horno a 175 ºC. En un recipiente tamizamos la harina, el cacao, la levadura y el bicarbonato. Reservamos. Batimos a velocidad alta la mantequilla junto con el azúcar, hasta obtener una mezcla blanquecina, y añadimos los huevos, sin dejar de batir. A continuación, incorporamos la leche, batimos unos segundos y añadimos los ingredientes secos que habíamos reservado. Repartimos la masa entre las cápsulas de papel y horneamos durante 25 minutos.

Para elaborar la cobertura, montamos la nata y añadimos el azúcar deseado. Una vez las cupcakes se hayan enfriado por completo, podremos decorarlas con la nata montada y con las cerezas.

Cupcakes de chocolate y frambuesa

Si no quieres renunciar al chocolate pero te apetece probar una combinación llena de frescura, esta cupcake es para ti.

Ingredientes masa

- 125 g de harina.
- 60 g de cacao puro en polvo.
- 1/2 cucharadita de postre de bicarbonato.
- 1/2 cucharadita de postre de levadura.
- 115 g de mantequilla sin sal.
- 220 g de azúcar.
- 2 huevos.
- 185 ml de leche.
- 1 cucharadita de frambuesa en pasta.

Ingredientes buttercream

- 450 g de azúcar glas.
- 75 g de mantequilla sin sal.
- 190 g de crema de queso.
- 2 cucharaditas de frambuesa en pasta.

Elaboración

Empezamos precalentando el horno a 175 ºC y preparando una bandeja de cupcakes. En un recipiente tamizamos la harina junto con el cacao, la levadura y el bicarbonato. Reservamos. Batimos a velocidad alta la mantequilla junto con el azúcar durante 5 minutos y añadimos los huevos, de uno en uno, sin dejar de batir. A continuación, incorporamos la leche y la frambuesa en pasta, batimos unos segundos y añadimos los ingredientes secos que habíamos reservado. Repartimos la masa entre las cápsulas de papel y horneamos durante 25 minutos.

Para elaborar el buttercream, batimos el azúcar glas, tamizado, junto con la mantequilla durante 5 minutos. Añadimos la crema de queso y la frambuesa en pasta. Batimos unos segundos y decoramos las cupcakes una vez frías.

Cupcake de chocolate y nueces

Esta cupcake, con un intenso sabor a chocolate y repleta de trocitos de nueces, recuerda a clásicos americanos como el brownie.

Ingredientes masa

- 125 g de harina.
- 60 g de cacao puro en polvo.
- 1/2 cucharadita de postre de bicarbonato.
- 1/2 cucharadita de postre de levadura.
- 115 g de mantequilla sin sal.
- 220 g de azúcar.
- 25 g de chips de chocolate.
- 50 g de nueces en trocitos pequeños.
- 2 huevos.
- 185 ml de leche.
- 2 cucharaditas de postre de vinagre blanco o de manzana.

Ingredientes buttercream

- 170 g de mantequilla sin sal.
- 170 g de azúcar glas.
- 100 g de chocolate con leche.

Elaboración

Empezamos precalentando el horno a 175 ºC y preparando la bandeja de cupcakes con sus correspondientes cápsulas.

En un recipiente grande tamizamos la harina, el cacao, la levadura y el bicarbonato. Reservamos.

Añadimos a la leche el vinagre blanco y reservamos.

Batimos durante 5 minutos el azúcar junto con la mantequilla. A continuación, añadimos los huevos, de uno en uno, y continuamos batiendo.

Añadimos la mezcla de la leche y batimos unos segundos a velocidad baja. Por último, incorporamos la mezcla de la harina y el cacao y batimos hasta obtener una masa homogénea. Añadimos las chips de chocolate y las nueces y mezclamos con una espátula. Repartimos la masa entre las cápsulas de papel y horneamos durante unos 25 minutos o hasta que un palillo insertado en el centro de una de las cupcakes salga limpio.

Para preparar el buttercream, batimos durante 5 minutos la mantequilla junto con el azúcar glas tamizado. Añadimos el chocolate, derretido y templado.

Cupcakes de chocolate y cacahuete

Los que no son demasiado dulceros encontrarán en esta cupcake el postre perfecto.
El balance entre el chocolate y la crema de cacahuete hace que esta cupcake
no sea excesivamente dulce. ¡Volverá locos a los más reacios!

Ingredientes masa

- 125 g de harina.
- 60 g de cacao puro en polvo.
- 1/2 cucharadita de postre de bicarbonato.
- 1/2 cucharadita de postre de levadura.
- 115 g de mantequilla sin sal.
- 220 g de azúcar.
- 2 huevos.
- 185 ml de leche.
- 2 cucharaditas de postre de vinagre blanco o de manzana.

Ingredientes buttercream

- 170 g de mantequilla sin sal.
- 220 g de azúcar glas.
- 3 cucharadas soperas de mantequilla de cacahuete.

Elaboración

Lo primero será precalentar el horno a 175 ºC y preparar la bandeja de cupcakes con sus cápsulas de papel.

En un recipiente amplio tamizamos la harina, el cacao, la levadura y el bicarbonato. Reservamos.

Añadimos a la leche el vinagre blanco y reservamos.

Batimos el azúcar junto con la mantequilla durante unos 5 minutos. A continuación, añadimos los huevos, de uno en uno, y continuamos batiendo.

Añadimos la mezcla de la leche y batimos unos segundos a velocidad baja. Por último, incorporamos la mezcla de la harina y el cacao y batimos hasta obtener una masa homogénea. Repartimos la masa entre las cápsulas de papel y horneamos durante unos 25 minutos.

Para preparar el buttercream, batimos durante 5 minutos la mantequilla junto con el azúcar glas tamizado. Añadimos la mantequilla de cacahuete y batimos unos minutos más.

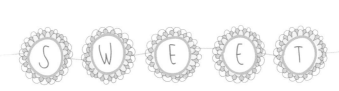

Cupcake chocolate chip

¿A quién no le gustan las pepitas de chocolate en galletas, bizcochos y tartas? ¡La versión cupcake no podía faltar!

Ingredientes masa

- 170 g de harina.
- 1/2 cucharadita de postre de levadura.
- Una pizca de sal.
- 115 g de mantequilla sin sal.
- 220 g de azúcar.
- 2 huevos grandes.
- 125 ml de leche.
- 1 cucharadita de postre de vainilla en pasta.
- 150 g de chips de chocolate.

Ingredientes buttercream

- 300 g de azúcar glas.
- 2 1/2 cucharadas soperas de cacao puro en polvo.
- 100 g de mantequilla sin sal.
- Leche.

Elaboración

Precalentamos el horno a 175 ºC y preparamos una bandeja de cupcakes con 12 cápsulas de papel.

Comenzamos añadiendo la levadura y la sal a la harina. Tamizamos y reservamos. Batimos la mantequilla junto con el azúcar durante 5 minutos. Añadimos los huevos, de uno en uno, y batiendo bien tras cada incorporación. Añadimos también el extracto de vainilla. Incorporamos la harina y la leche en tres partes, intercalando ambos ingredientes. Por último, añadimos las chips de chocolate. Repartimos la masa entre las cápsulas de papel y horneamos 25 minutos o hasta que un palillo insertado en el centro de la cupcake salga limpio, sin restos de masa.

Para preparar el buttercream, batimos durante 5 minutos la mantequilla con el azúcar glas, previamente tamizado. Añadimos el cacao en polvo y, si lo deseamos, unas cucharadas de leche para aligerar la crema.

Cupcakes Guinness

Perfecta para los que se quieren atrever con algo diferente. El toque de la cerveza no sólo realza el sabor del chocolate, sino que aporta una textura muy jugosa a esta cupcake. Merece la pena probarla.

Ingredientes masa

- 180 ml de cerveza Guinness.
- 60 ml de leche.
- 60 ml de aceite.
- 2 huevos.
- 90 g de yogurt.
- 45 g de cacao en polvo.
- 220 g de azúcar.
- 160 g de harina.
- 1/2 cucharadita de postre de bicarbonato.

Ingredientes buttercream

- 170 g de mantequilla sin sal.
- 220 g de azúcar glas.
- 1 cucharadita de postre de vainilla en pasta.

Elaboración

Precalentamos el horno a 175 ºC y preparamos una bandeja de cupcakes.

Mezclamos el cacao, el azúcar, la harina y el bicarbonato. Reservamos.

Batimos la cerveza, la leche y el aceite. Añadimos los huevos y el yogurt. Incorporamos poco a poco la mezcla de ingredientes secos y batimos hasta obtener una masa homogénea. Repartimos la masa entre las 12 cápsulas y horneamos durante 25 minutos.

Para preparar el buttercream, batimos durante 5 minutos la mantequilla y la vainilla junto con el azúcar glas, previamente tamizado. Cuando las cupcakes hayan enfriado, podremos cubrirlas con el buttercream.

Cupcakes de chocolate y caramelo

Sin duda, una combinación ganadora. ¿Serás capaz de dejar para los demás?

Ingredientes masa

- 125 g de harina.
- 60 g de cacao puro en polvo.
- 1/2 cucharadita de postre de bicarbonato.
- 1/2 cucharadita de postre de levadura.
- 115 g de mantequilla sin sal.
- 220 g de azúcar.
- 2 huevos.
- 185 ml de leche.
- 2 cucharaditas de postre de vinagre blanco o de manzana.

Ingredientes buttercream

- 170 g de mantequilla sin sal.
- 220 g de azúcar glas.
- 2 cucharaditas de pasta de caramelo.

Elaboración

Precalentamos el horno a 175 ºC y preparamos la bandeja de cupcakes con sus cápsulas de papel.

En un recipiente amplio tamizamos la harina, el cacao, la levadura y el bicarbonato. Reservamos.

Añadimos a la leche el vinagre blanco y reservamos.

Batimos el azúcar junto con la mantequilla durante unos 5 minutos. A continuación, añadimos los huevos, de uno en uno, y continuamos batiendo.

Añadimos la mezcla de la leche y batimos unos segundos a velocidad baja. Por último, incorporamos la mezcla de la harina y el cacao y batimos hasta obtener una masa homogénea. Repartimos la masa entre las cápsulas de papel y horneamos durante unos 25 minutos.

Para preparar el buttercream, batimos el azúcar glas tamizado junto con la mantequilla. Añadimos el caramelo y batimos 5 minutos más.

Cupcakes de chocolate y chipotle

Esta cupcake es sólo apta para los más atrevidos. Pruébala y sabrás porqué.

Ingredientes masa

- 82 ml de aceite.
- 150 g de azúcar.
- 2 huevos.
- 1/2 cucharadita de extracto de vainilla.
- 125 ml de leche.
- 95 g de harina.
- 45 g de cacao en polvo.
- 1 cucharadita de levadura.
- Un pellizco de sal.
- 1 cucharadita de chipotle en polvo.
- 50 g de chips de chocolate.

Ingredientes buttercream

- 300 g de azúcar glas.
- 2 1/2 cucharadas soperas de cacao puro en polvo.
- 100 g de mantequilla sin sal.
- Leche.

Elaboración

Precalentamos el horno a 175 ºC y preparamos una bandeja de cupcakes con sus respectivas cápsulas. Tamizamos la harina junto con el cacao, la levadura, la sal y el chipotle, y reservamos. Comenzamos a batir el azúcar con el aceite, y añadimos los huevos, de uno en uno. Añadimos también el extracto de vainilla. Incorporamos la mezcla de harina, en tres partes y alternando con la leche. Por último, añadimos los chips de chocolate. Repartimos la masa entre las cápsulas y horneamos durante 25 minutos.

Para preparar el buttercream, tamizamos el azúcar junto con el cacao. Añadimos la mantequilla y batimos durante al menos 5 minutos. Si lo deseamos podemos añadir un chorrito de leche para aligerar la crema.

Con frutas

Cupcakes de cacahuete y mermelada

Existen pocas combinaciones de sabores en la repostería tradicional americana más clásicas que ésta. Entenderás el porqué cuando pruebes esta receta, mi cupcake favorita.

Ingredientes masa

- 220 g de harina.
- 1 1/2 cucharaditas de levadura.
- 1/2 cucharadita de sal.
- 1/2 cucharadita de bicarbonato.
- 170 g de mantequilla.
- 165 g de mantequilla de cacahuete.
- 265 g de azúcar.
- 3 huevos.
- 1 yogurt natural.
- Mermelada de fresa.

Ingredientes buttercream

- 150 g de queso crema.
- 58 g de mantequilla.
- 250 g de azúcar glas.
- 100 g de mantequilla de cacahuete.
- Mermelada de fresa.

Elaboración

Precalentamos el horno a 175 °C y preparamos una bandeja de cupcakes con sus cápsulas de papel.

Tamizamos la harina la levadura, la sal y el bicarbonato. Reservamos.

Batimos la mantequilla, la mantequilla de cacahuete y el azúcar, durante unos 5 minutos. A continuación, añadimos los huevos, de uno en uno, y continuamos batiendo. Por último, incorporamos la mezcla de la harina, en tres partes, y alternando con el yogurt.

Repartimos la masa entre las cápsulas y horneamos unos 25 minutos. Cuando hayan enfriado, hacemos un agujero en el centro de cada cupcake (podemos ayudarnos de un descorazonador de manzanas) y llenamos con una cucharadita de mermelada de fresa.

Para preparar el buttercream, batimos el azúcar glas junto con la mantequilla y la mantequilla de cacahuete. Por último, incorporamos el queso crema y batimos durante 5 minutos, hasta obtener una mezcla cremosa. Decoramos las cupcakes con el buttercream y terminamos con un pequeño toque de mermelada.

Cupcakes de frambuesa y chocolate blanco

El sabor de la frambuesa conjuga a la perfección con el chocolate blanco, aportándole mucha frescura. Ésta es otra de mis recetas favoritas y un éxito asegurado entre mis invitados.

Ingredientes masa

- 185 g de harina.
- 1 cucharadita de postre de levadura.
- 1/2 cucharadita de postre de sal.
- 2 huevos.
- 160 g de azúcar.
- 3 cucharaditas de pasta de frambuesa.
- 125 ml de aceite de oliva.
- 125 ml de leche.
- 1 cucharadita de vinagre blanco.

Ingredientes buttercream

- 170 g de mantequilla sin sal.
- 170 g de azúcar glas.
- 100 g de chocolate blanco.

Elaboración

Precalentamos el horno a 160 °C y preparamos una bandeja de cupcakes con sus cápsulas.

Mezclamos la leche con el vinagre y reservamos. En un recipiente amplio tamizamos la harina, junto con la levadura y la sal. Reservamos. Comenzamos a batir el aceite junto con el azúcar y, poco a poco, añadimos los huevos, sin dejar de batir. A continuación, añadimos la pasta de frambuesa. Por último, incorporamos la mezcla de la leche, alternando con los ingredientes secos que habíamos reservado. Repartimos la masa entre las cápsulas y horneamos durante 25 minutos.

Para hacer el buttercream, batimos la mantequilla y el azúcar tamizado durante 5 minutos. A continuación, añadimos el chocolate derretido y enfriado y batimos unos minutos más.

Cupcakes de fresa

Una cupcake con un intenso sabor a fresa, sólo apta para los amantes de esta fruta.

Ingredientes masa

- 185 g de harina.
- 1 cucharadita de postre de levadura.
- 1/2 cucharadita de postre de sal.
- 2 huevos.
- 160 g de azúcar.
- 3 cucharaditas de pasta de fresa.
- 125 ml de aceite de oliva.
- 125 ml de leche.
- 1 cucharadita de vinagre blanco.

Ingredientes buttercream

- 450 g de azúcar glas.
- 75 g de mantequilla sin sal.
- 190 g de crema de queso.
- 2 cucharaditas de pasta de fresa.

Elaboración

Precalentamos el horno a 160 °C y preparamos una bandeja de cupcakes con sus cápsulas.

Mezclamos la leche y el vinagre y reservamos. En un recipiente tamizamos la harina, la levadura y la sal. Reservamos. Comenzamos a batir el aceite y el azúcar y, poco a poco, añadimos los huevos, de uno en uno, y sin dejar de batir. A continuación, añadimos la pasta de fresa. Por último, incorporamos la mezcla de la leche, alternando con los ingredientes secos que habíamos reservado. Repartimos la masa entre las cápsulas y horneamos durante 25 minutos.

Para hacer el buttercream, batimos la mantequilla y el azúcar tamizado durante 5 minutos. Añadimos el queso y seguimos batiendo. Por último, incorporamos la pasta de fresa y batimos unos segundos más, hasta obtener una crema homogénea.

Cupcakes de frambuesa y limón

Si te gustan los dulces con un toque ácido, esta cupcake seguro que te enamorará.

Ingredientes masa

- 185 g de harina.
- 1 cucharadita de postre de levadura.
- !/2 cucharadita de postre de sal.
- 2 huevos.
- 160 g de azúcar.
- 3 cucharaditas de pasta de frambuesa.
- 125 ml de aceite de oliva.
- 125 ml de leche.
- 1 cucharadita de vinagre blanco.

Ingredientes buttercream

- 57 g de mantequilla sin sal.
- 190 g de azúcar glas.
- 1 cucharada sopera de zumo de limón.

Elaboración

Empezamos mezclando la leche con el vinagre. Reservamos. En un recipiente tamizamos la harina junto con la levadura y la sal y reservamos de nuevo. Batimos el aceite junto con el azúcar y, poco a poco, añadimos los huevos, sin dejar de batir. A continuación, añadimos la pasta de frambuesa. Por último, incorporamos la mezcla de la leche, alternando con los ingredientes secos que habíamos reservado. Repartimos la masa entre las cápsulas y horneamos durante 25 minutos a 160 °C.

Para preparar el buttercream, batimos durante 5 minutos la mantequilla junto con el azúcar glas tamizado. Añadimos el zumo y, si lo deseamos, colorante en gel amarillo. Continuamos batiendo. Una vez las cupcakes se hayan enfriado, podremos cubrirlas con el buttercream.

Cupcakes de naranja y chocolate

Una facilísima receta que incorpora lo mejor de los cítricos y el cacao. ¡Perfecta para servirlas en una merienda!

Ingredientes masa

- 185 g de harina.
- 1 cucharadita de postre de levadura.
- Un pellizco de sal.
- 115 g de mantequilla sin sal.
- 220 g de azúcar.
- 2 huevos grandes.
- La ralladura de una naranja y media.
- 1 cucharada sopera de zumo de naranja recién exprimido.
- 125 ml de leche.

Ingredientes buttercream

- 300 g de azúcar glas.
- 2 1/2 cucharadas soperas de cacao puro en polvo.
- 100 g de mantequilla sin sal.
- Leche.

Elaboración

Precalentamos el horno a 165 °C y preparamos una bandeja de cupcakes con 12 cápsulas de papel.

Tamizamos la harina junto con la levadura y la sal. Reservamos. Batimos la mantequilla junto con el azúcar durante 5 minutos. Añadimos los huevos, de uno en uno, y batimos unos segundos más. Incorporamos la ralladura y el zumo de naranja.

Por último, añadimos la harina en tres partes, alternando con la leche. Repartimos la masa entre las cápsulas y horneamos durante 25 minutos.

Para preparar el buttercream, batimos durante 5 minutos la mantequilla con el azúcar glas, previamente tamizado. Añadimos el cacao en polvo y, si lo deseamos, unas cucharadas de leche para aligerar la crema.

Cupcakes de plátano, vainilla y miel

*Si te gusta mucho el dulce pero quieres huir del chocolate,
esta cupcake es perfecta para ti. ¡Más dulce imposible!*

Ingredientes masa

- 170 g de harina.
- 1/2 cucharadita de postre de levadura.
- Una pizca de sal.
- 115 g de mantequilla sin sal.
- 220 g de azúcar.
- 2 huevos grandes.
- 125 ml de leche.
- 2 plátanos blandos.

Ingredientes buttercream

- 170 g de mantequilla sin sal.
- 220 g de azúcar glas.
- 1 cucharadita de postre de vainilla en pasta.
- Miel.

Elaboración

Comenzamos añadiendo la levadura y la sal a la harina. Batimos la mantequilla junto con el azúcar durante 5 minutos, hasta obtener una mezcla blanquecina. Añadimos los huevos y batimos tras cada incorporación. Añadimos la harina y la leche en tres partes, intercalando ambos ingredientes. Por último, añadimos los plátanos, previamente machacados. Repartimos la masa entre las cápsulas de papel y horneamos 25 minutos a 175 °C.

Para preparar el buttercream, batimos durante 5 minutos la mantequilla y la vainilla junto con el azúcar glas, previamente tamizado. Cuando las cupcakes hayan enfriado podremos cubrirlas con el buttercream y rociar unos chorros de miel por encima.

Cupcakes de coco

*Una delicia tropical con un intenso sabor a coco
que te refrescará hasta en los días más calurosos.*

Ingredientes masa

- 170 g de harina.
- 1/2 cucharadita de postre de levadura.
- Una pizca de sal.
- 115 g de mantequilla sin sal.
- 220 g de azúcar.
- 2 huevos grandes.
- 125 ml de leche.
- 1 cucharadita de postre de extracto de coco.

Ingredientes buttercream

- 170 g de mantequilla sin sal.
- 220 g de azúcar glas.
- 1 cucharadita de postre de extracto de coco.
- Coco rallado.

Elaboración

Precalentamos el horno a 175 °C y preparamos una bandeja de cupcakes con 12 cápsulas de papel.

Comenzamos añadiendo la levadura y la sal a la harina. Tamizamos y reservamos. Batimos la mantequilla junto con el azúcar durante 5 minutos. Añadimos los huevos, de uno en uno, y batiendo bien tras cada incorporación. Añadimos también el extracto de coco. Por último, incorporamos la harina y la leche en tres partes, intercalando ambos ingredientes. Repartimos la masa entre las cápsulas de papel y horneamos 25 minutos o hasta que un palillo insertado en el centro de la cupcake salga limpio, sin restos de masa.

Para preparar el buttercream, batimos durante 5 minutos la mantequilla y el extracto de coco junto con el azúcar glas, previamente tamizado. Cuando las cupcakes hayan enfriado podremos cubrirlas con el buttercream y espolvorear la ralladura de coco.

Cupcakes colibrí

Ésta es la versión cupcake de otro famoso postre americano, típico del sur del país, y conocido como bizcocho hummingbird *o colibrí. Se trata de un postre hecho a base de frutas tropicales que aportan una frescura deliciosa.*

Ingredientes masa

- 125 g de harina.
- 1/2 cucharadita de bicarbonato.
- 1/2 cucharadita de sal.
- 1/2 cucharadita de canela.
- 1 plátano grande, aplastado.
- 140 g de piña, aplastada.
- 40 g de nueces.
- 30 g de coco rallado.
- 150 g de azúcar.
- 78 g de mantequilla.
- 1 huevo.

Ingredientes buttercream

- 170 g de queso crema.
- 55 g de mantequilla.
- 250 g de azúcar glas.

Elaboración

Precalentamos el horno a 175 ºC. En un recipiente tamizamos la harina, el bicarbonato, la sal y la canela, y reservamos. En otro recipiente mezclamos el plátano, la piña, las nueces y el coco. Reservamos. Batimos la mantequilla junto con el azúcar y añadimos el huevo, sin dejar de batir. Incorporamos la mezcla del plátano y la piña, movemos bien y, por último, añadimos la mezcla de harina. Movemos hasta obtener una masa homogénea. Repartimos la masa entre las cápsulas y horneamos 20 minutos.

Para hacer el buttercream, batimos la mantequilla junto con el azúcar glas previamente tamizado. Añadimos el queso y batimos durante unos 5 minutos.

Cupcakes Banana Split

*Uno de los postres americanos por excelencia, esta vez en modelo cupcake.
Una combinación perfecta de sabores que no dejará indiferente a nadie.*

Ingredientes masa

- 170 g de harina.
- 1/2 cucharadita de postre de levadura.
- Una pizca de sal.
- 115 g de mantequilla sin sal.
- 220 g de azúcar.
- 2 huevos grandes.
- 125 ml de leche.
- 2 plátanos blandos.

Ingredientes buttercream

- 170 g de mantequilla sin sal.
- 220 g de azúcar glas.
- 4 cucharadas soperas de cacao en polvo.
- Nata para montar.
- Cerezas en almíbar.

Elaboración

Comenzamos añadiendo la levadura y la sal a la harina. Batimos la mantequilla junto con el azúcar durante 5 minutos, hasta obtener una mezcla blanquecina. Añadimos los huevos y batimos tras cada incorporación. Incorporamos la harina y la leche en tres partes, intercalando ambos ingredientes. Por último, añadimos los plátanos, previamente machacados. Repartimos la masa entre las cápsulas de papel y horneamos 25 minutos a 175 ºC.

Para preparar el buttercream, batimos durante 5 minutos la mantequilla junto con el cacao y el azúcar glas, previamente tamizado. Por otro lado, montamos la nata. Decoramos las cupcakes usando tanto el buttercream como la nata y rematándolas con una cereza en almíbar.

Cupcakes
de melocotón

¡Una cupcake extradulce perfecta para los amantes de la futa!

Ingredientes masa

- 185 g de harina.
- 1 cucharadita de postre de levadura.
- 1/2 cucharadita de postre de sal.
- 2 huevos.
- 160 g de azúcar.
- 3 cucharaditas de pasta de melocotón.
- 125 ml de aceite de oliva.
- 125 ml de leche.
- 1 cucharadita de vinagre blanco.

Ingredientes buttercream

- 170 g de mantequilla sin sal.
- 220 g de azúcar glas.
- 1 cucharadita de postre de pasta de melocotón.

Elaboración

Empezamos precalentando el horno a 160 °C y preparando una bandeja de cupcakes.

Mezclamos la leche con el vinagre y reservamos. En un recipiente amplio tamizamos la harina junto con la levadura y la sal. Reservamos. Batimos el aceite y el azúcar y, poco a poco, añadimos los huevos, sin dejar de batir. A continuación, añadimos la pasta de melocotón. Por último, incorporamos la mezcla de la leche, alternando con los ingredientes secos que habíamos reservado. Repartimos la masa entre las cápsulas y horneamos durante 25 minutos.

Para preparar el buttercream, batimos durante 5 minutos la mantequilla y el melocotón en pasta junto con el azúcar glas, previamente tamizado.

Bonjour!

Cupcakes de manzana y caramelo

¿Quién no ha tomado alguna vez la clásica manzana cubierta de caramelo y clavada en una brocheta? Si no lo has hecho, la versión cupcake es un sitio por donde empezar.

Ingredientes masa

- 185 g de harina.
- 1 cucharadita de postre de levadura.
- 1/2 cucharadita de postre de sal.
- 1 cucharadita de vinagre blanco o de manzana.
- 2 huevos.
- 160 g de azúcar.
- 1 1/2 cucharaditas de aroma de manzana.
- 125 ml de aceite de oliva.
- 125 ml de leche.

Ingredientes buttercream

- 170 g de mantequilla sin sal.
- 220 g de azúcar glas.
- 2 cucharaditas de pasta de caramelo.
- Caramelo para decorar.

Elaboración

Precalentamos el horno a 160 ºC y preparamos una bandeja de cupcakes.

Mezclamos la leche con el vinagre y reservamos. En un recipiente tamizamos la harina con la levadura y la sal. Reservamos. Comenzamos a batir el aceite junto con el azúcar y añadimos los huevos, de uno en uno. A continuación, añadimos el aroma de manzana. Por último, incorporamos la mezcla de la leche, alternando con los ingredientes secos que habíamos reservado. Repartimos la masa entre las cápsulas y horneamos durante 25 minutos.

Para elaborar el buttercream, batimos el azúcar glas, tamizado, junto con la mantequilla durante 5 minutos. Añadimos el caramelo en pasta. Batimos unos segundos y decoramos las cupcakes, terminándolas con un poco de caramelo líquido.

Cupcakes de fruta de la pasión

Una explosión de intenso sabor en cada mordisco. ¡Perfecta para refrescarse!

Ingredientes masa

- 185 g de harina.
- 1 cucharadita de postre de levadura.
- 1/2 cucharadita de postre de sal.
- 2 huevos.
- 160 g de azúcar.
- 3 cucharaditas de pasta de fruta de la pasión.
- 125 ml de aceite de oliva.
- 125 ml de leche.
- 1 cucharadita de vinagre blanco.

Ingredientes buttercream

- 450 g de azúcar glas.
- 75 g de mantequilla sin sal.
- 190 g de crema de queso.
- 2 cucharaditas de fruta de la pasión en pasta.

Elaboración

Precalentamos el horno a 160 °C y preparamos una bandeja de cupcakes con sus cápsulas.

Mezclamos la leche con el vinagre y reservamos. En un recipiente amplio tamizamos la harina junto con la levadura y la sal. Reservamos. Comenzamos a batir el aceite junto con el azúcar y, poco a poco, añadimos los huevos, sin dejar de batir. A continuación, añadimos la pasta de fruta de la pasión. Por último, incorporamos la mezcla de la leche, alternando con los ingredientes secos que habíamos reservado. Repartimos la masa entre las cápsulas y horneamos durante 25 minutos.

Para elaborar el buttercream, batimos el azúcar glas, tamizado, junto con la mantequilla durante 5 minutos. Añadimos la crema de queso y la fruta de la pasión en pasta. Batimos unos segundos y decoramos las cupcakes una vez frías.

Cupcakes
de mandarina

Una de las cupcakes más refrescantes, perfecta para los días de verano más calurosos.

Ingredientes masa

- 170 g de harina.
- 1/2 cucharadita de postre de levadura.
- Una pizca de sal.
- 115 g de mantequilla sin sal.
- 220 g de azúcar.
- 2 huevos grandes.
- 125 ml de leche.
- 1 cucharadita de postre de aroma concentrado de mandarina.

Ingredientes buttercream

- 170 g de mantequilla sin sal.
- 220 g de azúcar glas.
- 1 cucharadita de postre de aroma concentrado de mandarina.

Elaboración

Precalentamos el horno a 175 °C y preparamos una bandeja de cupcakes con 12 cápsulas de papel.

Comenzamos añadiendo la levadura y la sal a la harina. Tamizamos y reservamos. Batimos la mantequilla junto con el azúcar durante 5 minutos. Añadimos los huevos, de uno en uno, y batiendo bien tras cada incorporación. Añadimos también el concentrado de mandarina. Por último, incorporamos la harina y la leche en tres partes, intercalando ambos ingredientes. Repartimos la masa entre las cápsulas de papel y horneamos 25 minutos o hasta que un palillo insertado en el centro de la cupcake salga limpio, sin restos de masa.

Para preparar el buttercream, batimos durante 5 minutos la mantequilla y el concentrado de mandarina junto con el azúcar glas, previamente tamizado. Cuando las cupcakes hayan enfriado podremos cubrirlas con el buttercream.

Cupcakes de mora

Las cupcakes de frutas son más ligeras y frescas que las clásicas de chocolate o vainilla.
Son perfectas para terminar una comida o incluso para disfrutarlas a media tarde.

Ingredientes masa

- 185 g de harina.
- 1 cucharadita de postre de levadura.
- 1/2 cucharadita de postre de sal.
- 2 huevos.
- 160 g de azúcar.
- 3 cucharaditas de pasta de mora.
- 125 ml de aceite de oliva.
- 125 ml de leche.
- 1 cucharadita de vinagre blanco.

Ingredientes buttercream

- 450 g de azúcar glas.
- 75 g de mantequilla sin sal.
- 190 g de crema de queso.
- 2 cucharaditas de mora en pasta.

Elaboración

Empezamos precalentando el horno a 160 ºC y preparamos una bandeja de cupcakes con sus cápsulas correspondientes.

Mezclamos la leche con el vinagre y reservamos. En un recipiente tamizamos la harina con la levadura y la sal. Reservamos. Batimos el aceite junto con el azúcar y, poco a poco, añadimos los huevos, de uno en uno, sin dejar de batir. A continuación, añadimos la pasta de mora. Por último, incorporamos la mezcla de la leche, alternando con los ingredientes secos que habíamos reservado. Repartimos la masa entre las cápsulas y horneamos durante 25 minutos.

Para preparar el buttercream, batimos durante 5 minutos la mantequilla y la mora en pasta junto con el azúcar glas, previamente tamizado. Añadimos el queso y seguimos batiendo. Cuando las cupcakes hayan enfriado podremos cubrirlas con el buttercream.

Cupcakes de manzana verde

¿Te gustan los toques ácidos? ¡Atrévete a probar esta cupcake!

Ingredientes masa

- 185 g de harina.
- 1 cucharadita de postre de levadura.
- 1/2 cucharadita de postre de sal.
- 2 huevos.
- 160 g de azúcar.
- 3 cucharaditas de pasta de manzana verde.
- 125 ml de aceite de oliva.
- 125 ml de leche.
- 1 cucharadita de vinagre blanco.

Ingredientes buttercream

- 170 g de mantequilla sin sal.
- 220 g de azúcar glas.
- 1 cucharadita de postre de manzana verde en pasta.

Elaboración

Preparamos una bandeja de cupcakes con sus cápsulas correspondientes.

Mezclamos la leche con el vinagre y reservamos. En un recipiente tamizamos la harina con la levadura y la sal. Reservamos. Batimos el aceite junto con el azúcar y, poco a poco, añadimos los huevos, de uno en uno, sin dejar de batir. A continuación, añadimos la pasta de manzana verde. Por último, incorporamos la mezcla de la leche, alternando con los ingredientes secos que habíamos reservado. Repartimos la masa entre las cápsulas y horneamos durante 25 minutos a 160 °C.

Para preparar el buttercream, batimos durante 5 minutos la mantequilla y la manzana verde en pasta junto con el azúcar glas, previamente tamizado.

Cupcakes de sandía

Con estas cupcakes no tendrás que esperar al verano para disfrutar del sabor de la sandía. ¡Estará a tu alcance los 365 días del año!

Ingredientes masa

- 170 g de harina.
- 1/2 cucharadita de postre de levadura.
- Una pizca de sal.
- 115 g de mantequilla sin sal.
- 220 g de azúcar.
- 2 huevos grandes.
- 125 ml de leche.
- 1 cucharadita de postre de aroma concentrado de sandía.

Ingredientes buttercream

- 450 g de azúcar glas.
- 75 g de mantequilla sin sal.
- 190 g de crema de queso.
- Una cucharadita de postre de aroma concentrado de sandía.

Elaboración

Precalentamos el horno a 175 °C y preparamos una bandeja de cupcakes.

Añadimos la levadura y la sal a la harina. Tamizamos y reservamos. Batimos la mantequilla con el azúcar durante 5 minutos. Añadimos los huevos y el aroma concentrado de sandía. Por último, incorporamos la harina y la leche en tres partes, intercalando ambos ingredientes. Repartimos la masa entre las cápsulas de papel y horneamos 25 minutos.

Para preparar el buttercream, batimos durante 5 minutos la mantequilla y el concentrado de sandía junto con el azúcar glas, previamente tamizado. Añadimos el queso y batimos 5 minutos más.

Cupcakes de pera

Una cupcake de lo más sorprendente, con un intenso sabor a pera. ¿Te animas a probarla?

Ingredientes masa

- 185 g de harina.
- 1 cucharadita de postre de levadura.
- 1/2 cucharadita de postre de sal.
- 2 huevos.
- 160 g de azúcar.
- 3 cucharaditas de pasta de pera.
- 125 ml de aceite de oliva.
- 125 ml de leche.
- 1 cucharadita de vinagre blanco.

Ingredientes buttercream

- 450 g de azúcar glas.
- 75 g de mantequilla sin sal.
- 190 g de crema de queso.
- 2 cucharaditas de pera en pasta.

Elaboración

Precalentamos el horno a 160 ºC y preparamos una bandeja de cupcakes con sus cápsulas correspondientes.

Mezclamos la leche con el vinagre y reservamos. En un recipiente tamizamos la harina con la levadura y la sal. Reservamos. Batimos el aceite junto con el azúcar y, poco a poco, añadimos los huevos, de uno en uno, sin dejar de batir. A continuación, añadimos la pasta de pera. Por último, incorporamos la mezcla de la leche, alternando con los ingredientes secos que habíamos reservado. Repartimos la masa entre las cápsulas y horneamos durante 25 minutos.

Para preparar el buttercream, batimos durante 5 minutos la mantequilla, la crema de queso y el concentrado de pera junto con el azúcar glas tamizado.

Cupcakes de piña

Si disfrutas con los sabores tropicales, lánzate a probar esta cupcake. ¡Seguro que repites!

Ingredientes masa

- 170 g de harina.
- 1/2 cucharadita de postre de levadura.
- Una pizca de sal.
- 115 g de mantequilla sin sal.
- 220 g de azúcar.
- 2 huevos grandes.
- 125 ml de leche.
- 1 cucharadita de postre de aroma concentrado de piña.

Ingredientes buttercream

- 170 g de mantequilla sin sal.
- 220 g de azúcar glas.
- 1 cucharadita de postre de aroma concentrado de piña.

Elaboración

Precalentamos el horno a 175 °C y preparamos una bandeja de cupcakes con 12 cápsulas de papel.

Comenzamos añadiendo la levadura y la sal a la harina. Tamizamos y reservamos. Batimos la mantequilla junto con el azúcar durante 5 minutos. Añadimos los huevos, de uno en uno, batiendo bien tras cada incorporación. Añadimos también el aroma de piña. Por último, incorporamos la harina y la leche en tres partes, intercalando ambos ingredientes. Repartimos la masa entre las cápsulas de papel y horneamos 25 minutos o hasta que un palillo insertado en el centro de la cupcake salga limpio, sin restos de masa.

Para preparar el buttercream, batimos durante 5 minutos la mantequilla y el aroma de piña junto con el azúcar glas, previamente tamizado. Cuando las cupcakes hayan enfriado podremos cubrirlas con el buttercream.

Cupcakes de yogurt

Una cupcake muy sencilla y ligera, la elección perfecta para servir en un desayuno especial.

Ingredientes masa

- 170 gr de harina.
- 1/2 cucharadita de postre de levadura.
- Una pizca de sal.
- 115 g de mantequilla sin sal.
- 220 g de azúcar.
- 2 huevos grandes.
- 2 yogures naturales.

Ingredientes buttercream

- 170 g de mantequilla sin sal.
- 220 g de azúcar glas.
- 1 cucharadita de postre de vainilla en pasta.

Elaboración

Precalentamos el horno a 175 ºC y preparamos una bandeja de cupcakes.

Comenzamos añadiendo la levadura y la sal a la harina. Tamizamos y reservamos. Batimos la mantequilla junto con el azúcar y añadimos los huevos, de uno en uno, batiendo bien tras cada incorporación. Por último, incorporamos la harina y los yogures, en tres partes, intercalando ambos ingredientes. Repartimos la masa entre las cápsulas de papel y horneamos 25 minutos.

Para preparar el buttercream, batimos durante 5 minutos la mantequilla y la vainilla junto con el azúcar glas, previamente tamizado.

ALL YOU NEED IS A CUPCAKE

Cupcakes Victoria

Otro clásico, esta vez inglés. Una cupcake sencilla, perfecta para acompañarla,
como no podía ser de otra manera, con una buena taza de té.

Ingredientes masa

- 170 gr de harina.
- 1/2 cucharadita de postre de levadura.
- Una pizca de sal.
- 115 g de mantequilla sin sal.
- 220 g de azúcar.
- 2 huevos grandes.
- 125 ml de leche.
- 1 cucharadita de postre de vainilla en pasta.
- Mermelada de fresa.

Ingredientes buttercream

- 170 g de mantequilla sin sal.
- 220 g de azúcar glas.
- 1 cucharadita de postre de vainilla en pasta.

Elaboración

Precalentamos el horno a 175 °C y preparamos una bandeja de cupcakes con 12 cápsulas de papel.

Comenzamos añadiendo la levadura y la sal a la harina. Tamizamos y reservamos. Batimos la mantequilla junto con el azúcar durante 5 minutos. Añadimos los huevos, de uno en uno, batiendo bien tras cada incorporación. Añadimos también el extracto de vainilla. Por último, incorporamos la harina y la leche en tres partes, intercalando ambos ingredientes. Repartimos la masa entre las cápsulas de papel y horneamos 25 minutos o hasta que un palillo insertado en el centro de la cupcake salga limpio, sin restos de masa. Una vez frías, hacemos un agujero en el centro de la cupcake con un descorazonador y llenamos con una cucharadita de mermelada de fresa.

Para preparar el buttercream, batimos durante 5 minutos la mantequilla y la vainilla junto con el azúcar glas, previamente tamizado.

Cupcakes de limón y mora

Una combinación perfecta de dos frutas muy refrescantes. El toque ácido de la base de limón conjuga a la perfección con la dulzura que aporta el buttercream.

Ingredientes masa

- 185 g de harina.
- 1 cucharadita de postre de levadura.
- Un pellizco de sal.
- 115 g de mantequilla sin sal.
- 220 g de azúcar.
- 2 huevos grandes.
- La ralladura de 1 limón y medio.
- 1 cucharada sopera de zumo de limón recién exprimido.
- 125 ml de leche.

Ingredientes buttercream

- 170 g de mantequilla sin sal.
- 220 g de azúcar glas.
- 2 cucharadita de pasta de moras o 1 cucharadita de aroma concentrado.

Elaboración

Comenzamos precalentando el horno a 165 °C y preparando la bandeja de cupcakes.

Tamizamos la harina, la levadura y la sal. Reservamos. Batimos la mantequilla junto con el azúcar durante al menos 5 minutos, hasta obtener una mezcla blanquecina. Añadimos los huevos, de uno en uno, batiendo tras cada incorporación. Añadimos la ralladura y el zumo de limón.

Por último, incorporamos la harina en tres partes, alternando con la leche. Repartimos la masa entre las cápsulas y horneamos durante 25 minutos.

Para preparar el buttercream, batimos la mantequilla junto con el azúcar glas tamizado. Añadimos la pasta de moras o el aroma concentrado y batimos 5 minutos más.

Cupcakes de té verde y fresa

Esta cupcake llamará la atención de todos tus invitados, no sólo por el sabor, sino también por el llamativo color del bizcocho.

Ingredientes masa

- 220 g de harina.
- 1 cucharadita de bicarbonato.
- 1 cucharadita de sal.
- 3 cucharadas de té matcha en polvo.
- 300 g de azúcar.
- 250 ml de aceite.
- 3 huevos.
- 1 1/2 cucharaditas de extracto de vainilla.
- 2 yogures naturales.

Ingredientes buttercream

- 450 g de azúcar glas.
- 75 g de mantequilla sin sal.
- 190 g de crema de queso.
- 2 cucharaditas de fresa en pasta.

Elaboración

Precalentamos el horno a 175 °C. En un recipiente amplio tamizamos la harina junto con el bicarbonato, la sal y el té en polvo. Reservamos. Por otro lado, comenzamos a batir el azúcar con el aceite y el extracto de vainilla. Añadimos los huevos, de uno en uno, batiendo bien tras cada incorporación. Por último, incorporamos la mezcla de la harina, en tres partes y alternando con los yogures. Repartimos la masa entre las cápsulas de papel y horneamos durante 25 minutos.

Para preparar el buttercream, batimos la mantequilla junto con el azúcar glas, previamente tamizado. Añadimos el queso crema y la fresa en pasta y batimos hasta obtener una mezcla cremosa, aproximadamente durante 5 minutos.

Cupcakes
de arándanos y moras

Si te gustan las frutas del bosque... ¡No podrás resistirte a esta cupcake!

Ingredientes masa

- 200 g de harina.
- 1/2 cucharadita de levadura.
- 1 pellizco de sal.
- 17 g de arándanos deshidratados, pulverizados.
- 114 g de mantequilla sin sal.
- 165 g de azúcar.
- 65 g de azúcar moreno.
- 2 huevos grandes.
- 90 ml de leche.
- 55 g de arándanos, hechos puré y escurridos.
- 55 g de moras, hechas puré y escurridas.

Ingredientes buttercream

- 450 g de azúcar glas.
- 75 g de mantequilla sin sal.
- 190 g de crema de queso.

Elaboración

Precalentamos el horno a 175 ºC y preparamos una bandeja de cupcakes. En un recipiente tamizamos la harina, la levadura, la sal y los arándanos deshidratados. Reservamos. Por otro lado, comenzamos a batir la mantequilla junto con el azúcar y el azúcar moreno. Añadimos los huevos de uno en uno. En una jarra mezclamos la leche junto con el puré de arándanos y el puré de moras, y vamos añadiendo a la masa, alternando con los ingredientes secos que habíamos reservado.

Para preparar el buttercream, batimos la mantequilla junto con el azúcar glas, previamente tamizado. Añadimos el queso y batimos durante al menos 5 minutos.

Cupcakes de miel y limón

¿Lo mejor de esta cupcake? La textura tan suave que aporta al bizcocho el uso de miel en la masa.

Ingredientes masa

- 220 g de harina.
- 1/2 cucharadita de levadura.
- 1/2 cucharadita de bicarbonato.
- 1/2 cucharadita de sal.
- 110 g de mantequilla.
- 120 g de azúcar moreno.
- 175 g de miel.
- 2 huevos.
- 65 ml de leche.
- 65 ml de yogur.
- 1/2 cucharadita de extracto de vainilla.

Ingredientes buttercream

- 57 g de mantequilla sin sal.
- 190 g de azúcar glas.
- 1 cucharada de zumo de limón.

Elaboración

Precalentamos el horno a 165 ºC y preparamos una bandeja de cupcakes. Empezamos tamizando la harina con la levadura, el bicarbonato y la sal. Reservamos. Por otro lado, combinamos en una jarra la leche, el extracto de vainilla y el yogurt, y reservamos.

Batimos la mantequilla junto con el azúcar moreno y la miel durante unos 5 minutos. Añadimos los huevos, de uno en uno, batiendo bien tras cada incorporación. Por último, incorporamos la mezcla de la harina y la mezcla de la leche, alternando ambos ingredientes. Repartimos la masa entre las cápsulas y horneamos durante 25 minutos.

Para preparar el buttercream, batimos durante 5 minutos la mantequilla junto con el azúcar glas tamizado. Añadimos el zumo y continuamos batiendo. Una vez las cupcakes se hayan enfriado, podremos cubrirlas con el buttercream.

Cupcakes de cereza

¡Perfectas para llevártelas a tu próximo picnic!

Ingredientes masa

- 170 g de harina.
- 1/2 cucharadita de postre de levadura.
- Una pizca de sal.
- 115 g de mantequilla sin sal.
- 220 g de azúcar.
- 2 huevos grandes.
- 125 ml de leche.
- 1 cucharadita de postre de aroma concentrado de cereza.

Ingredientes buttercream

- 170 g de mantequilla sin sal.
- 220 g de azúcar glas.
- 1 cucharadita de postre de aroma concentrado de cereza.

Elaboración

Precalentamos el horno a 175 ºC y preparamos una bandeja de cupcakes con 12 cápsulas de papel.

Comenzamos añadiendo la levadura y la sal a la harina. Tamizamos y reservamos. Batimos la mantequilla junto con el azúcar durante 5 minutos. Añadimos los huevos, de uno en uno, batiendo bien tras cada incorporación. Añadimos también el aroma de cereza. Por último, incorporamos la harina y la leche en tres partes, intercalando ambos ingredientes. Repartimos la masa entre las cápsulas de papel y horneamos 25 minutos o hasta que un palillo insertado en el centro de la cupcake salga limpio, sin restos de masa.

Para preparar el buttercream, batimos durante 5 minutos la mantequilla y el aroma de cereza junto con el azúcar glas, previamente tamizado. Cuando las cupcakes se hayan enfriado podremos cubrirlas con el buttercream.

Cupcakes de higo

Una cupcake muy original con una sorpresa en el interior.

Ingredientes masa

- 185 g de harina.
- 1 cucharadita de levadura.
- 1 pellizco de sal.
- 115 g de mantequilla.
- 250 g de azúcar.
- 1 huevo entero y 2 claras.
- 125 ml de leche.
- 1 cucharadita de extracto de vainilla.
- 4 higos frescos, lavados y cortados en trozos pequeños.
- 60 ml de agua.
- 50 g de azúcar moreno.
- 2 cucharaditas de zumo de limón.

Ingredientes buttercream

- 450 g de azúcar glas.
- 75 g de mantequilla sin sal.
- 190 g de crema de queso.

Elaboración

Precalentamos el horno a 175 ºC y preparamos una bandeja de cupcakes. En un recipiente tamizamos la harina, la levadura y la sal, y reservamos. Comenzamos a batir la mantequilla junto con el azúcar, y añadimos el huevo y las claras. Añadimos también el extracto de vainilla y, sin dejar de batir, incorporamos finalmente la harina, en tres partes y alternando con la leche. Repartimos la masa entre las cápsulas y horneamos durante 25 minutos.

Para elaborar el relleno, ponemos al fuego los higos, el azúcar moreno, el agua y el zumo de limón durante unos 25 minutos. Dejamos enfriar y trituramos la mezcla. Una vez las cupcakes se hayan enfriado, realizamos un agujero en el centro con ayuda de un descorazonador y llenamos con el relleno de higos.

Para elaborar el buttercream, batimos la mantequilla junto con el azúcar tamizado y, a continuación, añadimos el queso.

Cupcakes de fresas y queso

El delicioso buttercream de queso mascarpone se convierte, sin duda, en el protagonista de esta cupcake.

Ingredientes masa

- 185 g de harina.
- 1 cucharadita de postre de levadura.
- 1/2 cucharadita de postre de sal.
- 2 huevos.
- 160 g de azúcar.
- 3 cucharaditas de pasta de fresa.
- 125 ml de aceite de oliva.
- 125 ml de leche.

Ingredientes buttercream

- 85 g de mantequilla.
- 225 g de queso mascarpone.
- 1/2 cucharadita de extracto de vainilla.
- 440 g de azúcar glas.

Elaboración

Precalentamos el horno a 160 °C y preparamos una bandeja de cupcakes con sus cápsulas.

En un recipiente tamizamos la harina, la levadura y la sal. Reservamos. Comenzamos a batir el aceite y el azúcar y, poco a poco, añadimos los huevos, de uno en uno, sin dejar de batir. A continuación, añadimos la pasta de fresa. Por último, incorporamos la leche, alternando con los ingredientes secos que habíamos reservado. Repartimos la masa entre las cápsulas y horneamos durante 25 minutos.

Para preparar el buttercream, batimos la mantequilla junto con el queso. Incorporamos también el extracto de vainilla. Poco a poco, vamos añadiendo el azúcar glas tamizado, batiendo a alta velocidad. Si lo deseamos podemos añadir unas cucharaditas de leche para obtener una crema más ligera.

Cupcakes de mango

Un toque tropical en una cupcake extrajugosa.

Ingredientes masa

- 185 g de harina.
- 1 cucharadita de postre de levadura.
- 1/2 cucharadita de postre de sal.
- 2 huevos.
- 160 g de azúcar.
- 3 cucharaditas de pasta de mango.
- 125 ml de aceite de oliva.
- 125 ml de leche.

Ingredientes buttercream

- 170 g de mantequilla sin sal.
- 220 g de azúcar glas.
- 1 cucharadita de postre de vainilla en pasta.

Elaboración

En un recipiente grande tamizamos la harina, la levadura y la sal. Reservamos. Batimos el aceite y el azúcar y, poco a poco, añadimos los huevos, de uno en uno, sin dejar de batir. A continuación, añadimos la pasta de mango. Por último, incorporamos la leche, alternando con los ingredientes secos que habíamos reservado. Repartimos la masa entre las cápsulas y horneamos durante 25 minutos a 160 ºC.

Para preparar el buttercream, batimos la mantequilla junto con el azúcar glas tamizado. Añadimos el extracto de vainilla y continuamos batiendo hasta obtener la textura deseada.

Para sorprender

Cupcakes de violeta

Los aficionados a los clásicos caramelos de violeta encontrarán en esta receta su gran perdición. Con un intenso sabor a violetas y una textura muy ligera, ésta es la cupcake perfecta para una merienda de primavera.

Ingredientes masa

- 185 g de harina.
- 1 cucharadita de postre de levadura.
- 1/2 cucharadita de postre de sal.
- 2 huevos.
- 160 g de azúcar.
- 3 cucharaditas de pasta de violetas.
- 125 ml de aceite de oliva.
- 125 ml de leche.
- 1 cucharadita de vinagre blanco.

Ingredientes buttercream

- 450 g de azúcar glas.
- 75 g de mantequilla sin sal.
- 190 g de crema de queso.
- 2 cucharaditas de pasta de violetas.

Elaboración

Precalentamos el horno a 160 ºC y preparamos una bandeja de cupcakes con las cápsulas necesarias.

Mezclamos la leche con el vinagre y reservamos. En un recipiente, tamizamos la harina junto con la levadura y la sal. Reservamos. Batimos el aceite y el azúcar y, poco a poco, añadimos los huevos. A continuación, añadimos la pasta de violetas. Por último, incorporamos la mezcla de la leche, alternando con los ingredientes secos que habíamos reservado. Repartimos la masa entre las cápsulas y horneamos durante 25 minutos.

Para preparar el buttercream, batimos durante 5 minutos la mantequilla y el azúcar glas tamizado. Añadimos el queso y la pasta de violetas y batimos otros 5 minutos.

Bonjour!

Cupcakes de comida de ángel

Los que todavía no hayáis probado la comida de ángel quedaréis sorprendidos por esta cupcake con la textura característica de este clásico bizcocho. ¡No podría tener un nombre más apropiado!

Ingredientes masa

- 180 g de azúcar.
- 63 g de harina.
- Un pellizco de sal.
- 6 claras de huevo.
- 1/2 cucharadita de extracto de vainilla.
- 1/2 cucharadita de crémor tártaro.

Ingredientes buttercream

- 170 g de mantequilla sin sal.
- 220 g de azúcar glas, tamizado.
- 1 cucharadita de postre de vainilla en pasta.

Elaboración

Precalentamos el horno a 175 ºC y preparamos un par de bandejas de cupcakes.

Tamizamos la harina junto con la sal y la mitad de la azúcar. Reservamos.

Comenzamos a montar las claras de huevo y, cuando empiecen a tomar cuerpo, añadimos el crémor tártaro y la vainilla. Continuamos batiendo y añadiendo poco a poco el azúcar.

Cuando las claras estén firmes, iremos añadiendo poco a poco, con ayuda de una espátula, la mezcla de harina.

Dividimos la masa entre las cápsulas de papel y horneamos durante 18-20 minutos.

Para preparar el buttercream, batimos todos los ingredientes durante al menos 5 minutos. Cuando las cupcakes hayan enfriado podremos proceder a decorarlas.

Cupcakes de té Earl Grey

Unas cupcakes de lo más inglesas con un ligero sabor a té y vainilla. ¡Deliciosas!

Ingredientes masa

- 130 ml de leche.
- 4 bolsas de té Earl Grey.
- 115 g de mantequilla.
- 230 g de azúcar.
- 1/2 cucharadita de extracto de vainilla.
- 2 huevos grandes.
- 250 g de harina.
- 1 1/2 cucharaditas de levadura.

Ingredientes buttercream

- 170 g de mantequilla sin sal.
- 220 g de azúcar glas.
- 1 cucharadita de postre de vainilla en pasta.

Elaboración

Precalentamos el horno a 180 ºC y preparamos una bandeja de cupcakes con 12 cápsulas. Hervimos la leche y le añadimos las bolsitas de té. A continuación, tapamos la leche con papel transparente y dejamos reposar la mezcla al menos 30 minutos. Una vez pasado el tiempo, retiramos las bolsas de té, escurriéndolas bien. Batimos la mantequilla y el azúcar y añadimos el extracto de vainilla. De uno en uno, vamos incorporando los huevos. Por último, mezclamos la harina y la levadura y añadimos a la masa en tres partes, alternando con la leche. Repartimos la masa entre las cápsulas y horneamos durante 25 minutos.

Para preparar el buttercream, batimos durante 5 minutos la mantequilla y la vainilla junto con el azúcar glas, previamente tamizado. Cuando las cupcakes hayan enfriado podremos cubrirlas con el buttercream.

Cupcakes de caramelo

Si te obsesiona el caramelo no dejes de probar esta receta, será la cupcake más jugosa y con el sabor más intenso que hayas probado jamás.

Ingredientes masa

- 250 gr de azúcar.
- 1/2 cucharadita de agua.
- 30 g de mantequilla.
- 1/2 cucharadita de extracto de vainilla.
- 125 ml de nata para montar.
- 155 g de harina.
- 1 cucharadita de levadura.
- Un pellizco de sal.
- 55 g de mantequilla.
- 210 g de azúcar.
- 1 huevo grande.
- 160 ml de leche.

Ingredientes buttercream

- 225 g de mantequilla.
- 500 g de azúcar glas.
- 1 cucharadita de leche.
- 1 cucharadita de sal.
- 125 ml del caramelo previamente elaborado.

Elaboración

Para elaborar el caramelo ponemos a fuego medio el azúcar junto con el agua. Cuando se haya derretido añadiremos la mantequilla y la vainilla, sin dejar de mover. Retiramos del fuego y añadimos la nata. Dejamos enfriar por completo.

Precalentamos el horno a 175 °C. Tamizamos la harina junto con la levadura y la sal y reservamos. Batimos la mantequilla junto con el azúcar y añadimos el huevo. Incorporamos la harina, en tres partes y alternando con la leche. Por último, añadimos 125 ml del caramelo que hemos elaborado previamente. Repartimos la masa entre las cápsulas y horneamos durante 25 minutos.

Para preparar el buttercream, batimos todos los ingredientes a velocidad alta durante 5 minutos.

Cupcakes de Gin & Tonic

¿Qué mejor broche final para una cena entre amigos que estas deliciosas cupcakes?

Ingredientes masa

- 200 g de harina.
- 2 1/2 cucharaditas de levadura.
- 175 g de mantequilla.
- 175 g de azúcar.
- 2 huevos grandes.
- 1 cucharadita de extracto de vainilla.
- 3 cucharadas de tónica.
- 2 cucharadas de ginebra.
- La ralladura de un limón.

Ingredientes buttercream

- 57 g de mantequilla sin sal.
- 190 g de azúcar glas.
- 1 cucharada de zumo de limón.

Elaboración

Precalentamos el horno a 180 °C y tamizamos la harina junto con la levadura. Reservamos. Batimos la mantequilla y el azúcar durante unos 5 minutos y añadimos los huevos, de uno en uno. Incorporamos la vainilla, la ralladura de limón, la tónica y la ginebra y, por último, añadimos la harina. Repartimos la masa entre las cápsulas y horneamos durante 25 minutos.

Para preparar el buttercream, batimos durante 5 minutos la mantequilla junto con el azúcar glas tamizado. Añadimos el zumo y, si lo deseamos, colorante en gel amarillo. Continuamos batiendo. Una vez las cupcakes hayan enfriado, podremos cubrirlas con el buttercream.

Cupcakes de Coca-Cola

¡Déjate sorprender por esta receta! La textura extratierna de estas cupcakes seguro que te hace repetir.

Ingredientes masa

- 250 ml de Coca-Cola.
- 60 g de cacao en polvo.
- 55 g de mantequilla.
- 130 g de azúcar.
- 50 g de azúcar moreno.
- 125 g de harina.
- 1/2 cucharadita de bicarbonato.
- 1/2 cucharadita de sal.
- 1 huevo.

Ingredientes buttercream

- 170 g de mantequilla sin sal.
- 220 g de azúcar glas.
- 1 cucharadita de postre de vainilla en pasta.

Elaboración

Precalentamos el horno a 175 °C y preparamos una bandeja de cupcakes con sus cápsulas. Calentamos al fuego la Coca-Cola, el cacao y la mantequilla. Cuando ésta se haya derretido añadimos el azúcar y el azúcar moreno, batiendo bien. Retiramos del fuego y dejamos enfriar. En un recipiente grande tamizamos la harina, la sal y el bicarbonato. Batimos ligeramente el huevo y lo añadimos a la mezcla de la Coca-Cola, cuando esté fría. Añadimos también la mezcla de la harina. Batimos bien y repartimos la masa entre las cápsulas de papel. Horneamos durante 25 minutos.

Para preparar el buttercream, batimos durante 5 minutos la mantequilla y la vainilla junto con el azúcar glas, previamente tamizado. Cuando las cupcakes hayan enfriado podremos cubrirlas con el buttercream.

Kiss Kiss Kiss Kiss Kiss Kiss

Cupcakes
de galletas María

Las galletas María gustan a todo el mundo, así que si te atreves con esta receta
el éxito está asegurado. ¡Perfectas para el desayuno o la merienda de los más peques!

Ingredientes masa

- 230 g de harina.
- 35 g de Nesquik.
- 1 1/2 cucharaditas de levadura.
- 100 ml de aceite.
- 250 g de azúcar.
- 3 huevos.
- 150 ml de leche.
- 12 galletas María.

Ingredientes buttercream

- 170 g de mantequilla sin sal.
- 220 g de azúcar glas.
- 1 cucharadita de postre de vainilla en pasta.
- 5 galletas María.

Elaboración

Precalentamos el horno a 180 °C y preparamos una bandeja de cupcakes. Comenzamos tamizando la harina junto con el Nesquik y la levadura. Reservamos. Batimos el azúcar con el aceite y vamos añadiendo los huevos, de uno en uno. Incorporamos la mezcla de la harina en tres partes, alternando con la leche. Por último, añadimos las galletas a la masa, que habremos previamente pulverizado por completo. Repartimos la masa entre las cápsulas y horneamos durante 25 minutos.

Para preparar el buttercream, batimos la mantequilla junto con el azúcar glas tamizado y la vainilla. Por último, añadimos las galletas, pulverizadas por completo, y batimos 5 minutos más.

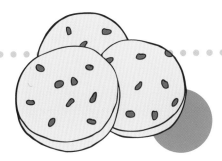

Cupcakes de canela

Esta receta, también conocida como snickerdoodle, *se ha convertido con los años en otro imprescindible de la repostería americana.*

Ingredientes masa

- 200 g de harina.
- 1 cucharadita de levadura.
- 4 cucharaditas de canela.
- Un pellizco de sal.
- 75 g de mantequilla.
- 200 g de azúcar.
- 1 huevo.
- 190 ml de leche.
- 1 cucharadita de extracto de vainilla.

Ingredientes buttercream

- 170 g de mantequilla sin sal.
- 220 g de azúcar glas.
- 1 cucharadita de postre de vainilla en pasta.
- 1 1/2 cucharaditas de canela.

Elaboración

Precalentamos el horno a 150 ºC y preparamos una bandeja de cupcakes con las correspondientes cápsulas de papel. Mezclamos y tamizamos la harina, la levadura, la canela y la sal. Reservamos. Comenzamos a batir la mantequilla junto con el azúcar y, a continuación, añadimos el huevo y el extracto de vainilla. Por último, incorporamos la harina, en tres partes, y alternando con la leche. Repartimos la masa entre las cápsulas y horneamos durante 25 minutos.

Para preparar el buttercream, batimos la mantequilla junto con el azúcar glas tamizado durante 5 minutos. A continuación, añadimos la vainilla y la canela y batimos unos minutos más.

Cupcakes funfetti

Tus invitados quedarán sorprendidos al probar esta cupcake
y descubrir en su interior un explosión de colores.

Ingredientes masa

- 114 g de mantequilla.
- 250 g de azúcar.
- 2 huevos.
- 1 cucharadita de extracto de vainilla.
- 190 g de harina.
- 1 cucharadita de levadura.
- 85 ml de leche.
- 55 g de fideos de colores.

Ingredientes buttercream

- 170 g de mantequilla sin sal.
- 170 g de azúcar glas.
- 1 cucharadita de vainilla.
- Fideos de colores.

Elaboración

Precalentamos el horno a 175 ºC y preparamos una bandeja de cupcakes con las correspondientes cápsulas. Batimos a velocidad alta la mantequilla junto con el azúcar durante 5 minutos. Añadimos los huevos, de uno en uno, y el extracto de vainilla. A continuación, añadimos la harina, previamente tamizada, junto con la levadura, en tres partes, y alternando con la leche. Por último, incorporamos los fideos de colores con ayuda de una espátula. Repartimos la masa entre la cápsulas y horneamos 25 minutos.

Para preparar el buttercream, batimos la mantequilla junto con el azúcar glas tamizado y la vainilla, durante al menos 5 minutos. Decoramos las cupcakes y cubrimos con fideos de colores.

Cupcakes de chicle

¿Un consejo? Prueba a hacer estas cupcakes en cápsulas mini, reduciendo el tiempo de horneado a la mitad.

Ingredientes masa

- 170 g de harina.
- 1/2 cucharadita de postre de levadura.
- Una pizca de sal.
- 115 g de mantequilla sin sal.
- 220 g de azúcar.
- 2 huevos grandes.
- 125 ml de leche.
- 2 cucharaditas de pasta de chicle.

Ingredientes buttercream

- 450 g de azúcar glas.
- 75 g de mantequilla sin sal.
- 190 g de crema de queso.
- 1 cucharadita de pasta de chicle.

Precalentamos el horno a 175 ºC y preparamos una bandeja de cupcakes.

Añadimos la levadura y la sal a la harina. Tamizamos y reservamos. Batimos la mantequilla junto con el azúcar durante 5 minutos. Añadimos los huevos, de uno en uno, batiendo tras cada incorporación. Añadimos también la pasta de chicle. Por último, incorporamos la harina y la leche en tres partes, intercalando ambos ingredientes. Repartimos la masa entre las cápsulas de papel y horneamos 25 minutos.

Para preparar el buttercream, batimos durante 5 minutos la mantequilla junto con el azúcar glas, previamente tamizado. Añadimos la crema de queso y la pasta de chicle y batimos unos minutos más.

Cupcakes de Oreo

Si quieres añadir un factor sorpresa a esta receta, prueba a colocar la mitad de una galleta Oreo en la base de cada una de las cápsulas de papel. A continuación, vierte la masa encima y hornea siguiendo las instrucciones.

Ingredientes masa

- 125 g de harina.
- 60 g de cacao puro en polvo.
- 1/2 cucharadita de postre de bicarbonato.
- 1/2 cucharadita de postre de levadura.
- 115 g de mantequilla sin sal.
- 220 g de azúcar.
- 2 huevos.
- 185 ml de leche.
- 2 cucharaditas de postre de vinagre blanco o de manzana.
- 10 galletas Oreo, pulverizadas.

Ingredientes buttercream

- 170 g de mantequilla sin sal.
- 220 g de azúcar glas.
- 1 cucharadita de postre de vainilla en pasta.
- Galletas Oreo pulverizadas, para decorar.

Elaboración

Empezamos precalentando el horno a 175 °C y preparando la bandeja de cupcakes.

En un recipiente tamizamos la harina junto con el cacao, la levadura y el bicarbonato. Reservamos. Añadimos a la leche el vinagre blanco y reservamos. Batimos durante 5 minutos el azúcar junto con la mantequilla. A continuación, añadimos los huevos, de uno en uno, y continuamos batiendo.

Añadimos la mezcla de la leche y batimos unos segundos a velocidad baja. Incorporamos la mezcla de la harina y el cacao y batimos hasta obtener una masa homogénea. Por último, añadimos las galletas pulverizadas y mezclamos. Repartimos la masa entre las cápsulas de papel y horneamos durante unos 25 minutos.

Para preparar el buttercream, batimos durante 5 minutos la mantequilla junto con el azúcar glas tamizado y la vainilla. Decoramos las cupcakes y espolvoreamos con la galleta triturada.

Cupcakes
de crema irlandesa

*Si te apasiona el dulce, la combinación de sabores
de esta cupcake seguro que no te deja indiferente.*

Ingredientes masa

- 190 g de harina.
- 60 g de cacao en polvo.
- 1/2 cucharadita de sal.
- 1/2 cucharadita de levadura.
- 1/2 cucharadita de bicarbonato.
- 114 g de mantequilla.
- 250 g de azúcar.
- 2 huevos.
- 1 cucharadita de extracto de vainilla.
- 180 ml de café frío.
- 60 ml de crema irlandesa tipo Baileys.

Ingredientes buttercream

- 225 g de mantequilla.
- 375 g de azúcar glas.
- Un pellizco de sal.
- Una cucharadita de extracto de vainilla.
- 1 cucharada de café, frío.
- 3 cucharadas de crema irlandesa, tipo Baileys.

Elaboración

Precalentamos el horno a 175 ºC. En un recipiente tamizamos la harina, el cacao, la sal, la levadura y el bicarbonato. Reservamos. Comenzamos a batir el azúcar junto con la mantequilla y añadimos los huevos, de uno en uno. Añadimos también el extracto de vainilla. Incorporamos la mezcla de harina y, por último, el café y la crema irlandesa. Batimos hasta obtener una masa homogénea y repartimos entre las cápsulas. Horneamos durante 22 minutos.

Para preparar el buttercream, batimos la mantequilla junto con el azúcar glas y la sal. A continuación, sin dejar de batir, vamos incorporando el resto de ingredientes líquidos.

Cupcakes
de jengibre

Para los más nostálgicos, estas cupcakes aúnan los mejores "sabores navideños".

Ingredientes masa

- 150 g de mantequilla.
- 150 g de azúcar moreno.
- 3 huevos.
- 150 g de harina.
- 1 cucharadita de levadura.
- 1 cucharadita de jengibre.
- 1/2 cucharadita de canela.
- Un pellizco de nuez moscada.
- 1 cucharada de leche.

Ingredientes buttercream

- 200 g de mantequilla.
- 200 g de azúcar glas.
- 1 cucharadita de canela.

Elaboración

Precalentamos el horno a 180 °C y preparamos una bandeja de cupcakes con sus correspondientes cápsulas. Batimos la mantequilla junto con el azúcar durante 5 minutos y, a continuación, vamos añadiendo los huevos, de uno en uno. Tamizamos la harina con la levadura, el jengibre, la canela y la nuez moscada, y vamos añadiendo a la masa en tres partes, alternando con la leche. Repartimos la masa entre las cápsulas y horneamos 25 minutos.

Para preparar el buttercream, batimos la mantequilla junto con el azúcar glas tamizado y la canela a velocidad alta durante al menos 5 minutos.

Cupcakes
de pistacho

Si te gustan estos frutos secos no tardes en probar esta receta.
¡La combinación dulce-salada nunca falla!

Ingredientes masa

- 170 g de harina.
- 1/2 cucharadita de postre de levadura.
- Una pizca de sal.
- 115 g de mantequilla sin sal.
- 220 g de azúcar.
- 2 huevos grandes.
- 125 ml de leche.
- 1 cucharadita de postre de vainilla en pasta.
- 150 g de pistacho, pelados y troceados.

Ingredientes buttercream

- 170 g de mantequilla sin sal.
- 220 g de azúcar glas.
- 1 cucharadita de postre de vainilla en pasta.
- Pistachos para decorar.

Elaboración

Precalentamos el horno a 175 °C y preparamos una bandeja de cupcakes con 12 cápsulas de papel.

Comenzamos añadiendo la levadura y la sal a la harina. Tamizamos y reservamos. Batimos la mantequilla junto con el azúcar durante 5 minutos. Añadimos los huevos, de uno en uno. Añadimos también el extracto de vainilla. Incorporamos la harina y la leche en tres partes, intercalando ambos ingredientes. Por último, añadimos, con ayuda de una espátula, los pistachos. Repartimos la masa entre las cápsulas de papel y horneamos 25 minutos o hasta que un palillo insertado en el centro de la cupcake salga limpio, sin restos de masa.

Para preparar el buttercream, batimos durante 5 minutos la mantequilla y la vainilla junto con el azúcar glas, previamente tamizado. Cuando las cupcakes hayan enfriado podremos cubrirlas con el buttercream y espolvorear los pistachos.

Cupcakes de dulce de leche

Si te resulta más sencillo, puedes saltarte el paso de rellenar las cupcakes y, con ayuda de un biberón, repartir el dulce de leche por encima del buttercream.

Ingredientes masa

- 125 g de harina.
- 2 cucharadas de Maizena.
- 1 cucharadita de levadura.
- 1 cucharadita de bicarbonato.
- Un pellizco de sal.
- 60 g de mantequilla.
- 70 g de azúcar moreno.
- 40 g de azúcar.
- 1 huevo.
- 125 ml de leche.
- Dulce de leche.

Ingredientes buttercream

- 114 g de mantequilla.
- 113 g de queso en crema.
- 130 g de dulce de leche.
- 200 g de azúcar glas.

Elaboración

Precalentamos el horno a 175 ºC y preparamos una bandeja de cupcakes con sus correspondientes cápsulas. Tamizamos la harina junto con la maizena, la levadura, el bicarbonato y la sal. Reservamos. Batimos la mantequilla junto con el azúcar y el azúcar moreno. Añadimos el huevo. A continuación, incorporamos la mezcla de harina, alternando con la leche. Repartimos la masa entre las cápsulas y horneamos 25 minutos. Una vez frías, hacemos un agujero en el centro de cada cupcake con ayuda de un descorazonador y rellenamos con una cucharadita pequeña de dulce de leche.

Para preparar el buttercream, batimos la mantequilla junto con el azúcar glas. Añadimos el queso y el dulce de leche y batimos durante al menos 5 minutos.

Cupcakes de turrón

¿Por qué esperar a las navidades para saborear este dulce tan clásico?
¡Ahora a tu alcance cualquier día del año!

Ingredientes masa

- 185 g de harina.
- 1 cucharadita de postre de levadura.
- 1/2 cucharadita de postre de sal.
- 2 huevos.
- 160 g de azúcar.
- 3 cucharaditas de pasta turrón.
- 125 ml de aceite de oliva.
- 125 ml de leche.
- 1 cucharadita de vinagre blanco.

Ingredientes buttercream

- 450 g de azúcar glas.
- 75 g de mantequilla sin sal.
- 190 g de crema de queso.
- 2 cucharaditas de turrón en pasta.

Elaboración

Preparamos una bandeja de cupcakes con sus cápsulas correspondientes y precalentamos el horno a 160 °C.

Mezclamos la leche con el vinagre y reservamos. Tamizamos la harina con la levadura y la sal. Reservamos. Batimos el aceite junto con el azúcar y añadimos los huevos, de uno en uno, sin dejar de batir. A continuación, añadimos el turrón en pasta. Por último, incorporamos la mezcla de la leche, alternando con los ingredientes secos que habíamos reservado. Repartimos la masa entre las cápsulas y horneamos durante 25 minutos a 160 °C.

Para preparar el buttercream, batimos durante 5 minutos la mantequilla junto con el azúcar glas, previamente tamizado. Añadimos el queso y el turrón en pasta.

Cupcakes margarita

¿Te apetece celebrar el 5 de mayo por todo lo alto? ¡Atrévete con estas cupcakes!

Ingredientes masa

- 187 g de harina.
- 1 1/2 cucharadita de levadura.
- Un pellizco de sal.
- 114 g de mantequilla.
- 250 g de azúcar.
- 2 huevos.
- El zumo y la ralladura de una lima y media.
- 2 cucharadas de tequila.
- 125 ml de leche.
- 1 cucharadita de vinagre.

Ingredientes buttercream

- 225 g de mantequilla.
- 350 g de azúcar glas.
- 1 cucharada de zumo de lima.
- 2 cucharadas de tequila.

Elaboración

Precalentamos el horno a 160 ºC y preparamos una bandeja de cupcakes. En un recipiente tamizamos la harina, la levadura y la sal. Batimos la mantequilla junto con el azúcar durante 5 minutos y, a continuación, añadimos los huevos. Incorporamos la ralladura, el zumo y el tequila. Mezclamos la leche con el vinagre y añadimos a la masa, en tres partes y alternando con los ingredientes secos que habíamos reservado.

Para preparar el buttercream, batimos la mantequilla junto con el azúcar glas tamizado. Añadimos el zumo y el tequila y batimos durante al menos 5 minutos.

Cupcakes de rosas

Unas cupcakes muy aromáticas para los amantes de los más exclusivo.

Ingredientes masa

- 185 g de harina.
- 1 cucharadita de postre de levadura.
- 1/2 cucharadita de postre de sal.
- 2 huevos.
- 160 g de azúcar.
- 3 cucharaditas de pasta de rosas.
- 125 ml de aceite de oliva.
- 125 ml de leche.
- 1 cucharadita de vinagre blanco.

Ingredientes buttercream

- 450 g de azúcar glas.
- 75 g de mantequilla sin sal.
- 190 g de crema de queso.
- 2 cucharaditas de rosa en pasta.

Elaboración

Preparamos una bandeja de cupcakes con sus cápsulas correspondientes.

Mezclamos la leche con el vinagre y reservamos. En un recipiente tamizamos la harina con la levadura y la sal. Reservamos. Batimos el aceite junto con el azúcar y, poco a poco, añadimos los huevos, de uno en uno y sin dejar de batir. A continuación, añadimos la pasta de rosas. Por último, incorporamos la mezcla de la leche, alternando con los ingredientes secos que habíamos reservado. Repartimos la masa entre las cápsulas y horneamos durante 25 minutos a 160 °C.

Para preparar el buttercream, batimos durante 5 minutos la mantequilla junto con el azúcar glas, previamente tamizado. Añadimos el queso y la rosa en pasta.

Cupcakes de regaliz

Una cupcake muy original para los más atrevidos.

Ingredientes masa

- 125 g de harina.
- 60 g de cacao puro en polvo.
- 1/2 cucharadita de postre de bicarbonato.
- 1/2 cucharadita de postre de levadura.
- 115 g de mantequilla sin sal.
- 220 g de azúcar.
- 2 huevos.
- 185 ml de leche.
- 2 cucharaditas de postre de vinagre blanco o de manzana.
- 1 cucharadita de postre de regaliz en pasta.

Ingredientes buttercream

- 170 g de mantequilla sin sal.
- 220 g de azúcar glas.
- 1 cucharadita de postre de regaliz en pasta.

Elaboración

Empezamos precalentando el horno a 175 °C y preparando la bandeja de cupcakes con sus correspondientes cápsulas.

En un recipiente grande tamizamos la harina, el cacao, la levadura y el bicarbonato. Reservamos.

Añadimos a la leche el vinagre blanco y reservamos.

Batimos durante 5 minutos el azúcar junto con la mantequilla. A continuación, añadimos los huevos, de uno en uno, y continuamos batiendo. Incorporamos también el regaliz en pasta.

Añadimos la mezcla de la leche y batimos unos segundos a velocidad baja. Por último, incorporamos la mezcla de la harina y el cacao y batimos hasta obtener una masa homogénea. Repartimos la masa entre las cápsulas de papel y horneamos durante unos 25 minutos, o hasta que un palillo insertado en el centro de una de las cupcakes salga limpio.

Para preparar el buttercream, batimos durante 5 minutos la mantequilla y el regaliz en pasta junto con el azúcar glas, previamente tamizado. Cuando las cupcakes hayan enfriado podremos cubrirlas con el buttercream.

Cupcakes de mojito

La cupcake más refrescante y sorprendente. ¡No puede faltar en tus celebraciones!

Ingredientes masa

- 125 ml de leche.
- 10 g de hojas de menta, machacadas.
- 190 g de harina.
- 1 1/2 cucharaditas de levadura.
- Un pellizco de sal.
- 114 g de mantequilla.
- 250 g de azúcar.
- 2 huevos.
- La ralladura y el zumo de una lima y media.
- 2 cucharadas de ron blanco.

Ingredientes buttercream

- 170 g de mantequilla.
- 250 g de azúcar glas.
- 1 cucharada de zumo de lima.
- 1 1/2 cucharadas de ron blanco.

Elaboración

Comenzamos poniendo al fuego la leche junto con las hojas de menta. Calentamos y retiramos antes de que empiece a hervir. Cubrimos con papel film y dejamos reposar 30 minutos. Colamos la leche y desechamos las hojas de menta. Reservamos. Tamizamos la harina junto con la levadura y la sal. Por otro lado, comenzamos a batir la mantequilla y el azúcar. Añadimos los huevos, de uno en uno, sin dejar de batir. A continuación, incorporamos el zumo, la ralladura y el ron. Por último, añadimos la harina, en tres partes, y alternando con la leche. Repartimos la masa entre las cápsulas y horneamos durante 25 minutos a 175 °C.

Para preparar el buttercream, batimos la mantequilla junto con el azúcar glas tamizado. Añadimos el ron y el zumo y batimos durante al menos 5 minutos.

Cupcakes Chai Latte

Si te gusta esta bebida tan de moda, esta cupcake te sorprenderá por su logrado sabor.

Ingredientes masa

- 187 g de harina.
- 1 cucharadita de bicarbonato.
- 1/2 cucharadita de levadura.
- 1/2 cucharadita de sal.
- 1 cucharadita de canela.
- Un pellizco de cardamomo.
- 1/2 cucharadita de jengibre.
- 1/2 cucharadita de nuez moscada.
- 250 g de azúcar.
- 114 g de mantequilla.
- 3 huevos.
- 250 ml de leche.
- 4 bolsas de té chai.

Ingredientes buttercream

- 114 g de mantequilla.
- 250 g de azúcar glas, tamizado.
- 1 cucharadita de extracto de vainilla.
- 1 cucharadita de canela.

Elaboración

Precalentamos el horno a 175 ºC. Calentamos la leche hasta que comience a hervir y añadimos las bolsas de té. Cubrimos con papel film y dejamos reposar 15 minutos. Pasado ese tiempo, desechamos las bolsas y reservamos la leche. En un recipiente amplio tamizamos la harina, el bicarbonato, la levadura, la sal, la canela, el cardamomo, el jengibre y la nuez moscada. Reservamos. Comenzamos a batir la mantequilla junto con el azúcar y, poco a poco, vamos añadiendo los huevos. Por último, incorporamos la mezcla de la harina, en tres partes, y alternando con la leche. Repartimos la masa entre las cápsulas y horneamos 25 minutos.

Para elaborar el buttercream, batimos durante 5 minutos todos los ingredientes.

Cupcakes de crème brûlée

Uno de los postres más tradicionales convertido en cupcake.

Ingredientes masa

- 190 g de harina.
- 1/2 cucharadita de levadura.
- 1 pellizco de sal.
- 85 g de mantequilla.
- 190 g de azúcar.
- 2 huevos grandes.
- 1 cucharadita de extracto de vainilla.
- 130 ml de leche.
- 1/2 cucharadita de vinagre blanco.

Ingredientes crema

- 500 ml de leche.
- 6 cucharadas de Maizena.
- 125 g de azúcar.
- 1 huevo y 4 yemas.
- 2 cucharaditas de extracto de vainilla.
- 56 g de mantequilla.

Ingredientes buttercream

- 170 g de mantequilla sin sal.
- 220 g de azúcar glas.
- 1 cucharadita de postre de vainilla en pasta.

Elaboración

Tamizamos la harina, la levadura y la sal. Reservamos. Batimos la mantequilla junto con el azúcar y añadimos los huevos y la vainilla. Mezclamos 130 ml de leche con el vinagre y añadimos a la masa, alternando con la harina. Horneamos a 175 ºC durante 25 minutos. Mientras tanto preparamos el relleno de la cupcake disolviendo la maicena en 75 ml de leche. Reservamos. El resto de la leche la mezclamos con el azúcar y ponemos al fuego hasta que hierva. Mezclamos los huevos junto con la mezcla de leche y Maizena y, poco a poco, sin dejar de batir, añadimos a la leche hirviendo. Cuando haya espesado, retiramos del fuego y añadimos la mantequilla y la vainilla. Transferimos a otro recipiente y enfriamos en la nevera por completo. Cuando haya enfriado podremos rellenar las cupcakes haciendo un pequeño agujero en cada una de ellas con ayuda de un descorazonador.

Para preparar el buttercream, batimos durante 5 minutos la mantequilla y la vainilla junto con el azúcar glas, previamente tamizado.

Cupcakes de piña colada

Otra opción de lo más tropical para amenizar cualquier evento veraniego.

Ingredientes masa

- 80 ml de ron.
- 190 ml de leche de coco.
- 60 ml de zumo de piña.
- 1 cucharadita de extracto de vainilla.
- 190 g de harina.
- 1 cucharadita de bicarbonato.
- Un pellizco de sal.
- 114 g de mantequilla.
- 250 g de azúcar.
- 3 huevos.
- 90 g de coco rallado.

Ingredientes buttercream

- 225 g de crema de queso.
- 55 g de mantequilla.
- 250 g de azúcar glas.
- 1 1/2 cucharaditas de extracto de coco.

Elaboración

Comenzamos mezclando el ron, la leche de coco, el zumo de piña y la vainilla. En un recipiente amplio tamizamos la harina junto con el bicarbonato y la sal. Batimos a velocidad alta la mantequilla y el azúcar durante 5 minutos, y vamos añadiendo los huevos, de uno en uno. Incorporamos la harina, en tres partes, alternando con la mezcla de ingredientes líquidos. Por último, añadimos, con ayuda de una espátula, el coco rallado. Repartimos la masa entre las cápsulas y horneamos durante 25 minutos a 175 ºC.

Para preparar el buttercream, batimos el azúcar glas tamizado junto con la mantequilla. Añadimos el queso y el extracto de coco y batimos 5 minutos.

Amour

Cupcakes de ron

*Si quieres elevar el sabor del coco, no dudes en espolvorearlo
sobre el propio buttercream, antes de presentar las cupcakes.*

Ingredientes masa

- 250 g de azúcar.
- 114 g de mantequilla.
- 2 huevos.
- 1 cucharadita de extracto de vainilla.
- 1/2 cucharadita de extracto de coco.
- 190 g de harina.
- 1 cucharadita de levadura.
- 60 ml de leche de coco.
- 25 g de coco rallado.
- 60 ml de ron Malibú.

Ingredientes buttercream

- 114 g de mantequilla.
- 400 g de azúcar glas.
- 60 ml de ron Malibú.

Elaboración

Batimos la mantequilla junto con el azúcar durante 5 minutos. Añadimos los huevos, la vainilla y el extracto de coco. Tamizamos la harina junto con la levadura y añadimos a la masa, alternando con la leche de coco. Añadimos también el ron. Por último, incorporamos la ralladura de coco. Repartimos la masa entre las cápsulas de papel y horneamos durante 25 minutos a 175 °C.

Para preparar el buttercream, batimos el azúcar glas, previamente tamizado, junto con la mantequilla. Añadimos el ron Malibú poco a poco y batimos durante al menos 5 minutos.

Cupcakes de Speculoos

Para los apasionados de las clásicas galletas que acompañan al café.

Ingredientes masa

- 260 g de harina.
- 1 cucharadita de canela.
- 1 1/2 cucharaditas de levadura.
- 100 ml de aceite.
- 250 g de azúcar.
- 3 huevos.
- 150 ml de leche.
- 12 galletas Speculoos.

Ingredientes buttercream

- 170 g de mantequilla sin sal.
- 220 g de azúcar glas.
- 1 cucharadita de postre de vainilla en pasta.
- 5 galletas Speculoos.

Elaboración

Precalentamos el horno a 180 ºC y preparamos una bandeja de cupcakes. Comenzamos tamizando la harina junto con la canela y la levadura. Reservamos. Batimos el azúcar con el aceite y vamos añadiendo los huevos, de uno en uno. Incorporamos la mezcla de la harina en tres partes, alternando con la leche. Por último, añadimos las galletas a la masa, que habremos previamente pulverizado por completo. Repartimos la masa entre las cápsulas y horneamos durante 25 minutos.

Para preparar el buttercream, batimos la mantequilla junto con el azúcar glas tamizado y la vainilla. Por último, añadimos las galletas, pulverizadas por completo, y batimos 5 minutos más.

Cupcakes de limoncello

Sabor clásico italiano en cada mordisco.

Ingredientes masa

- 190 g de harina.
- 1 cucharadita de levadura.
- 1/2 cucharadita de sal.
- 56 g de mantequilla.
- 56 g de queso en crema.
- 250 g de azúcar.
- 3 huevos.
- 2 cucharadas grandes de *limoncello*.
- 125 ml de leche.
- 60 ml de zumo de limón.
- La ralladura de un limón.

Ingredientes buttercream

- 56 g de mantequilla.
- 110 g de queso crema.
- 1 cucharada de *limoncello*.
- 250 g de azúcar glas.

Elaboración

Precalentamos el horno a 175 ºC y preparamos una bandeja de cupcakes. En un recipiente tamizamos la harina, la levadura y la sal. Reservamos. Batimos el azúcar junto a la mantequilla y el queso. Vamos añadiendo los huevos, de uno en uno. Incorporamos la ralladura, el zumo de limón y el *limoncello*. Por último, añadimos la harina, alternando con la leche. Repartimos la masa entre las cápsulas de papel y horneamos durante 20 minutos.

Para preparar el buttercream, batimos la mantequilla junto con el azúcar glas tamizado. Añadimos el queso y el *limoncello* y batimos durante al menos 5 minutos.

Cupcakes de daiquiri

Otro cóctel hecho cupcake. Un sabor intenso a fresa con un giro inesperado.

Ingredientes masa

- 100 ml de ron.
- 170 g de azúcar.
- 150 g de fresas frescas, ligeramente troceadas.
- 40 g de mantequilla.
- 120 g de harina.
- 1 1/2 de levadura.
- 1 huevo grande.
- 120 ml de leche.
- 1 cucharadita de extracto de vainilla.

Ingredientes buttercream

- 80 g de mantequilla.
- 250 g de azúcar glas.
- 1 cucharadita de concentrado de fresa.

Elaboración

Empezamos hirviendo el ron junto con 30 g de azúcar. Cuando haya reducido a la mitad, quitamos del fuego y dejamos enfriar. Añadimos las fresas troceadas y dejamos reposar 30 minutos. Batimos el azúcar restante junto con la mantequilla, la harina y la levadura, hasta obtener una mezcla arenosa. En una jarra mezclamos el huevo, la leche y la vainilla, y vamos incorporando a la masa poco a poco. A continuación, escurrimos las fresas e incorporamos a la masa. Repartimos la masa entre las cápsulas y horneamos durante 22 minutos a 170 ºC.

Para preparar el buttercream, batimos el azúcar glas tamizado junto con la mantequilla y el concentrado de fresa durante al menos 5 minutos.

Cupcakes
de champán y fresa

Si buscas cómo celebrar una ocasión muy especial,
atrévete con esta receta. ¡Nunca falla!

Ingredientes masa

- 114 g de mantequilla.
- 250 g de azúcar.
- 2 huevos grandes.
- 1/2 cucharadita de extracto de vainilla.
- 220 g de harina.
- 1/2 cucharadita de bicarbonato.
- 1/2 cucharadita de levadura.
- Un pellizco de sal.
- 1 yogurt natural.
- 60 ml de champán.
- 60 ml de fresas frescas hechas puré.

Ingredientes buttercream

- 170 g de mantequilla sin sal.
- 220 g de azúcar glas.
- 1 cucharadita de postre de fresa en pasta.

Elaboración

Comenzamos tamizando la harina, la levadura, el bicarbonato y la sal. Reservamos. En otro recipiente mezclamos el yogurt, las fresas en puré y el champagne. Reservamos. Batimos la mantequilla junto con el azúcar y añadimos los huevos de uno en uno. Añadimos también la vainilla. Por último, incorporamos la mezcla de ingredientes secos, alternando con la mezcla del yogurt. Repartimos la masa entre las cápsulas y horneamos durante 25 minutos.

Para elaborar el buttercream, batimos la mantequilla junto con el azúcar glas tamizado y la fresa en pasta durante unos 5 minutos.

Cupcakes de cannolli

Uno de los dulces italianos por excelencia reconvertido en una sabrosa cupcake.

Ingredientes masa

- 190 g de harina.
- 1 1/2 cucharaditas de levadura.
- Un pellizco de sal.
- 250 g de azúcar.
- 114 g de mantequilla.
- 2 huevos.
- 1 1/2 cucharaditas de extracto de vainilla.
- 1 yogurt natural.

Ingredientes cobertura

- 150 g de queso mascarpone.
- 150 g de queso *ricotta*.
- 5 cucharadas grandes de azúcar glas.
- 375 ml de nata para montar.
- 2 cucharadas de cacao en polvo.
- 60 g de azúcar glas.
- Chips de chocolate.

Elaboración

Precalentamos el horno a 175 ºC y preparamos una bandeja de cupcakes. Tamizamos la harina junto con la levadura y la sal, y reservamos. Comenzamos a batir la mantequilla y el azúcar y, poco a poco, vamos añadiendo los huevos y el extracto de vainilla. Por último, incorporamos la harina, intercalando con el yogurt. Repartimos la masa entre las cápsulas y horneamos durante 25 minutos.

Para preparar la cobertura, mezclamos, por una parte, ambos quesos con las 5 cucharadas de azúcar. Por otro lado, montamos la nata y vamos añadiendo el cacao y el azúcar. Decoramos las cupcakes usando ambas coberturas y rematando con los chips de chocolate.

Kiss Kiss Kiss Kiss Kiss Kiss

Cupcakes de ponche

Otra opción con sabores navideños para poder disfrutar a lo largo del año.

Ingredientes masa

- 1 huevo.
- 165 g de harina.
- 1/2 cucharadita de levadura.
- 1/2 cucharadita de bicarbonato.
- 1/2 cucharadita de sal.
- Un pellizco de nuez moscada.
- 250 ml de ponche de huevo.
- 60 ml de aceite.
- 1 cucharada de vinagre de manzana.
- 1 cucharadita de extracto de vainilla.
- 250 g de azúcar.

Ingredientes buttercream

- 250 g de mantequilla.
- 310 g de azúcar glas.
- Un pellizco de sal.
- 2 1/2 cucharadas de ponche de huevo.

Elaboración

Precalentamos el horno a 175 °C y preparamos una bandeja de cupcakes con sus correspondientes cápsulas. Tamizamos la harina junto con la levadura, la sal, la nuez moscada y el bicarbonato. En un recipiente grande batimos al azúcar, el huevo, el aceite, el vinagre, el ponche y la vainilla. Añadimos la harina y batimos. Repartimos la masa entre las cápsulas y horneamos durante 25 minutos.

Para preparar el buttercream, batimos la mantequilla junto con el azúcar glas durante 5 minutos. Añadimos la sal y el ponche y continuamos batiendo unos minutos más.

Cupcakes
de sirope y nuez

La cupcake perfecta para los amantes de los frutos secos y de los sabores naturales.

Ingredientes masa

- 170 g de harina.
- 1/2 cucharadita de postre de levadura.
- Una pizca de sal.
- 115 g de mantequilla sin sal.
- 220 g de azúcar.
- 2 huevos grandes.
- 125 ml de leche.
- 1 cucharadita de postre de vainilla en pasta.
- 100 g de nueces.

Ingredientes buttercream

- 170 g de mantequilla sin sal.
- 300 g de azúcar glas.
- 2 cucharadas de sirope de arce.

Elaboración

Precalentamos el horno a 175 °C y preparamos una bandeja de cupcakes con 12 cápsulas de papel.

Comenzamos añadiendo la levadura y la sal a la harina. Tamizamos y reservamos. Batimos la mantequilla junto con el azúcar durante 5 minutos. Añadimos los huevos, de uno en uno, batiendo bien tras cada incorporación. Añadimos también el extracto de vainilla. Incorporamos la harina y la leche en tres partes, intercalando ambos ingredientes. Por último, añadimos las nueces. Repartimos la masa entre las cápsulas de papel y horneamos 25 minutos.

Para preparar el buttercream, batimos durante 5 minutos la mantequilla junto con el azúcar glas, previamente tamizado. Añadimos el sirope y batimos 5 minutos.

Cupcakes de tiramisú

Otra manera de disfrutar de los sabores clásicos italianos sin salir de casa.

Ingredientes masa

- 160 g de harina.
- 1 cucharadita de levadura.
- 1/2 cucharadita de sal.
- 60 ml de leche.
- 60 g de mantequilla.
- 3 huevos más 3 yemas.
- 250 g de azúcar.

Ingredientes para el sirope

- 65 g de azúcar.
- 85 ml de café recién hecho.
- 30 ml de vino *marsala*.

Ingredientes buttercream

- 250 ml de nata.
- 225 g de queso mascarpone.
- 60 g de azúcar glas.
- Cacao en polvo.

Elaboración

Precalentamos el horno a 160 ºC y preparamos una bandeja de cupcakes. Tamizamos la harina, la levadura y la sal, y reservamos. Calentamos la leche y añadimos la mantequilla hasta que quede derretida. En un recipiente batimos los huevos y las yemas junto con 250 g de azúcar. Calentamos al baño maría hasta que el azúcar se haya disuelto y la mezcla esté templada. Retiramos del fuego y batimos a velocidad alta durante 5 minutos. Con ayuda de una espátula, incorporamos la harina a la mezcla de las yemas, alternando con la leche, y mezclamos bien. Repartimos la masa entre las cápsulas y horneamos durante 25 minutos. Mientras, ponemos al fuego el café, 65 g de azúcar y el vino hasta crear un sirope. Cuando las cupcakes salgan del horno, pintamos la parte superior con el sirope, dos o tres veces, y dejamos que lo absorba durante al menos 30 minutos.

Para hacer el buttercream, mezclamos el queso junto con el azúcar glas. Por otro lado, montamos la nata y la vamos añadiendo a la mezcla del queso. Decoramos las cupcakes y espolvoreamos con el cacao.

Cupcakes
Boston Cream

*Si no has tenido la ocasión de probarlo in situ, atrévete a preparar
tú mismo el dulce más característico de la ciudad.*

Ingredientes masa

- 195 g de harina.
- 1 1/2 cucharaditas de levadura.
- Un pellizco de sal.
- 114 gr de mantequilla.
- 250 gr de azúcar.
- 2 huevos grandes.
- 2 cucharaditas de extracto de vainilla.
- 125 ml de leche.

Ingredientes para la crema

- 2 yemas de huevo.
- 40 gr de azúcar.
- 20 gr de Maizena.
- 250 ml de leche.
- 6 gr de mantequilla.
- 1/2 cucharadita de vainilla.

Ingredientes cobertura

- 120 g de chocolate.
- 42 g de mantequilla.

Elaboración

Precalentamos el horno a 175 ºC y engrasamos una bandeja de cupcakes. Tamizamos la harina junto con la levadura y la sal, y reservamos. Batimos 114 g de mantequilla y 250 g de azúcar durante 5 minutos y vamos añadiendo los huevos, de uno en uno. Incorporamos el 2 cucharitas de extracto de vainilla. Por último, añadimos los ingredientes secos reservados, alternando con 125 ml de leche. Horneamos 20 minutos.

Para hacer la crema pastelera mezclamos las yemas con 40 g de azúcar y añadimos la maizena. Por otro lado, calentamos el resto de la leche y, cuando empiece a hervir, la vertemos sobre las yemas, sin dejar de batir. Transferimos de nuevo esta mezcla al fuego y calentamos hasta que hierva, batiendo constantemente. Retiramos del fuego y añadimos 1/2 cucharita de vainilla y lo que nos queda de mantequilla. Cubrimos con papel film y dejamos que enfríe. A continuación, refrigeramos hasta que esté firme.

Con ayuda de una manga pastelera, rellenamos las cupcakes con la crema. Derretimos los ingredientes de la cobertura y cubrimos las cupcakes.

Cupcakes de anís

Si disfrutas con los sabores más clásicos,
atrévete a probar esta receta. Nunca decepciona.

Ingredientes masa

- 165 g de harina.
- 200 g de azúcar.
- 1 cucharadita de levadura.
- 1/2 cucharadita de sal.
- 114 g de mantequilla.
- 2 huevos.
- 125 ml de leche.
- 1/2 cucharadita de extracto de vainilla.
- 1/2 cucharadita de extracto de almendras.

Ingredientes buttercream

- 190 g de mantequilla.
- 240 g de azúcar glas.
- 1/2 cucharadita de vainilla.
- 1/2 cucharadita de extracto de anís.

Elaboración

Precalentamos el horno a 175 °C y preparamos una bandeja de cupcakes. En un recipiente tamizamos la harina, la levadura y la sal. Reservamos. Empezamos a batir la mantequilla junto con el azúcar. Añadimos los huevos, de uno en uno. Añadimos también ambos extractos. Por último, incorporamos la mezcla de la harina, en tres partes y alternando con la leche. Repartimos la masa entre las cápsulas de papel y horneamos durante 25 minutos.

Para preparar el buttercream, batimos la mantequilla junto con el azúcar glas tamizado. Añadimos los extractos y batimos durante al menos 5 minutos.

Cupcakes
de amaretto

*Unas deliciosas cupcakes con un ligero sabor
a almendra que se derretirán en tu boca.*

Ingredientes masa

- 250 g de azúcar.
- 58 g de mantequilla.
- 200 g de chips de chocolate blanco.
- 2 huevos grandes.
- 165 ml de leche.
- 60 ml de aceite.
- 60 ml de *Amaretto*.
- 220 g de harina.
- 1 1/2 cucharaditas de levadura.
- 1/2 cucharadita de bicarbonato.
- 1/2 cucharadita de sal.

Ingredientes buttercream

- 170 g de mantequilla.
- 200 g de azúcar glas.
- 1 cucharada de *Amaretto*.

Elaboración

Precalentamos el horno a 175 ºC y preparamos una bandeja de cupcakes. Tamizamos la harina junto con la levadura, el bicarbonato y la sal. En otro recipiente comenzamos a batir la mantequilla junto con el azúcar. Derretimos 85 g del chocolate y lo añadimos a la masa. Incorporamos los huevos, la leche, el aceite y el *Amaretto*. Añadimos la mezcla de la harina. Por último, incorporamos los chips de chocolate restantes. Repartimos la masa entre las cápsulas y horneamos durante 25 minutos.

Para preparar el buttercream, batimos la mantequilla junto con el azúcar glas tamizado. Añadimos el *Amaretto* y batimos 5 minutos más.

Cupcakes de lavanda

Una sorprendente cupcake repleta de sabores naturales.

Ingredientes masa

- 230 g de harina.
- 1 1/2 cucharaditas de levadura.
- 1/2 cucharadita de bicarbonato.
- Un pellizco de sal.
- 250 g de azúcar.
- 115 g de mantequilla.
- 2 huevos y 1 yema.
- 240 ml de leche.
- 1/2 cucharadita de extracto de vainilla.
- La ralladura de dos limones.

Ingredientes buttercream

- 170 g de mantequilla.
- 200 g de azúcar glas.
- 1 cucharada de lavanda seca culinaria.
- Leche.

Elaboración

En un recipiente amplio tamizamos la harina, la levadura, el bicarbonato y la sal. Reservamos. Comenzamos a batir la mantequilla y el azúcar. Añadimos los huevos y la yema. Añadimos también el extracto de vainilla y la ralladura. Por último, incorporamos la mezcla de harina, alternando con la leche. Repartimos la masa entre las cápsulas y horneamos durante 25 minutos a 175 °C.

Para preparar el buttercream, batimos la mantequilla junto con el azúcar glas tamizado y la lavanda. Si fuese necesario podríamos añadir un poco de leche para aligerar la crema.

Cupcakes de calabacín

¿Quién podría imaginarse que un dulce a base de calabacín podría llegar a ser tan delicioso?

Ingredientes masa

- 190 g de harina.
- 250 g de azúcar moreno.
- 2 cucharaditas de levadura.
- 1/2 cucharadita de canela.
- 1/2 cucharadita de sal.
- 1 calabacín mediano.
- 85 ml de aceite.
- 2 huevos grandes.
- 1/2 cucharadita de extracto de vainilla.

Ingredientes buttercream

- 450 g de azúcar glas.
- 75 g de mantequilla sin sal.
- 190 g de crema de queso.

Elaboración

Precalentamos el horno a 175 ºC y preparamos una bandeja de cupcakes con sus correspondientes cápsulas. En un recipiente mezclamos la harina, la levadura, la sal, la canela y el azúcar. En otro recipiente combinamos el calabacín rallado, el aceite, los huevos y el extracto de vainilla. Incorporamos esta mezcla a los ingredientes secos y batimos bien. Repartimos la masa entre las cápsulas y horneamos durante 30 minutos.

Para preparar el buttercream, batimos el azúcar glas tamizado junto con la mantequilla. Añadimos el queso y batimos durante 5 minutos.

Cupcakes tres leches

El postre latino por excelencia, en versión individual.

Ingredientes masa

- 190 g de harina.
- 1 cucharadita de levadura.
- 1/2 cucharadita de sal.
- 30 g de mantequilla.
- 250 g de azúcar.
- 5 huevos grandes.
- 2 cucharaditas de extracto de vainilla.
- 1/2 cucharadita de extracto de coco.
- 250 ml de leche evaporada.
- 250 ml de leche condensada.
- 250 ml de leche de coco.

Ingredientes buttercream

- 170 g de mantequilla sin sal.
- 220 g de azúcar glas.
- 1 cucharadita de postre de vainilla en pasta.

Elaboración

Precalentamos el horno a 175 °C y preparamos una bandeja de cupcakes con cápsulas de papel. En un recipiente tamizamos la harina, la levadura y la sal. Reservamos. Comenzamos a batir la mantequilla junto con el azúcar. Añadimos los huevos, de uno en uno, batiendo bien tras cada incorporación Añadimos el extracto de vainilla y el extracto de coco. Por último, incorporamos los ingredientes secos. Repartimos la masa entre las cápsulas y horneamos durante 16 minutos.

Mientras se enfrían, mezclamos la leche evaporada, la leche condensada y la leche de coco. Reservamos. Cuando las cupcakes hayan enfriado por completo, las agujereamos con ayuda de un palillo. Con una cucharita vamos virtiendo sobre ellas la mezcla de las leches, dejando que la absorban. Cuando estén todas impregnadas las refrigeramos durante al menos 6 horas.

Para preparar el buttercream, batimos la mantequilla junto con azúcar glas tamizado y el extracto de vainilla.

Cupcakes
de boniato y nubes

*Esta cupcake tiene como protagonista un ingrediente poco común en España,
pero que en Estados Unidos es la estrella de muchas recetas dulces.*

Ingredientes masa

- 265 g de azúcar moreno.
- 1 huevo.
- 2 cucharaditas de extracto de vainilla.
- 115 g de mantequilla, derretida y enfriada.
- 170 g de boniato, cocinado y aplastado.
- 155 g de harina.
- 1 1/2 cucharaditas de bicarbonato.
- Un pellizco de sal.
- 1/2 cucharadita de canela.
- Un pellizco de nuez moscada.
- 125 ml de leche.

Ingredientes buttercream

- 115 g de mantequilla.
- 1 cucharada de extracto de vainilla.
- 130 g de crema de nubes.
- 375 g de azúcar glas.

Elaboración

Precalentamos el horno a 175 ºC y preparamos una bandeja de cupcakes con sus correspondientes cápsulas. En un recipiente amplio mezclamos el huevo junto con el azúcar. Añadimos el extracto de vainilla y la mantequilla derretida. Incorporamos también el boniato. A continuación, añadimos la harina, el bicarbonato, la sal, la canela y la nuez moscada. Por último, se incorpora la leche. Repartimos la masa entre las cápsulas y horneamos durante 20 minutos.

Para preparar el buttercream, batimos la mantequilla junto con la crema de nubes y el extracto de vainilla. Poco a poco, vamos incorporando el azúcar glas, previamente tamizado. Batimos durante 5 minutos a máxima velocidad.

Cupcakes Banoffee

Otra opción para los amantes del plátano. ¡Imposible comerse sólo una!

Ingredientes masa

- 125 g de harina.
- 1 cucharadita de levadura.
- 1/2 cucharadita de bicarbonato.
- 1/2 cucharadita de canela.
- Un pellizco de sal.
- 2 huevos.
- 1 cucharadita de extracto de café.
- 125 ml de aceite.
- 130 g de azúcar.
- 2 plátanos, machacados.
- 100 g de leche condensada.

Ingredientes buttercream

- 450 g de azúcar glas.
- 75 g de mantequilla sin sal.
- 190 g de crema de queso.

Elaboración

Comenzamos tamizando la harina junto con la levadura, el bicarbonato, la sal y la canela. Por otro lado, batimos el aceite y el azúcar y vamos añadiendo los huevos, de uno en uno, batiendo bien tras cada incorporación, y el extracto de café. Añadimos la mezcla de la harina y la leche condensada. Por último, incorporamos el plátano. Repartimos la masa entre las cápsulas y horneamos durante 25 minutos a 175 ºC.

Para hacer el buttercream, batimos el azúcar glas tamizado junto con la mantequilla. Añadimos el queso y batimos durante 5 minutos.

Cupcakes de ruibarbo

El ruibarbo es uno de los ingredientes principales de la repostería clásica americana. Con esta receta podrás disfrutarlo en versión cupcake.

Ingredientes masa

- 190 g de harina.
- 1/2 cucharadita de levadura.
- 1/2 cucharadita de bicarbonato.
- 1/2 cucharadita de sal.
- 114 g de mantequilla.
- 250 g de azúcar.
- 2 huevos.
- 1 yogurt natural.
- 300 g de ruibarbo, troceado.

Ingredientes buttercream

- 450 g de azúcar glas.
- 75 g de mantequilla sin sal.
- 190 g de crema de queso.

Elaboración

Precalentamos el horno a 175 ºC y preparamos una bandeja de cupcakes con las correspondientes cápsulas. Comenzamos tamizando la harina junto con la levadura, la sal y el bicarbonato. Reservamos. Batimos la mantequilla y el azúcar y, poco a poco, vamos añadiendo los huevos. Incorporamos la mezcla de la harina, alternando con el yogurt. Por último, añadimos el ruibarbo con ayuda de una espátula. Repartimos la masa entre las cápsulas y horneamos durante 25 minutos.

Para hacer el buttercream, batimos el azúcar glas tamizado junto con la mantequilla. Añadimos el queso y batimos durante 5 minutos.